D0266505

Fleur

Afblijven

Carry Slee

Fleur

Carry Slee schreef ook over Toine en Debby uit *Afblijven* twee gloednieuwe boeken. Kijk voor meer informatie over verkoopadressen op www.carryslee.nl.

Afblijven werd bekroond door de Nederlandse Kinderjury en de Jonge Jury.

De film *Afblijven* is gebaseerd op het gelijknamige, bekroonde boek van Carry Slee. Het scenario en de regie is in handen van Maria Peters.

Kijk voor alle boekuitgaven, soundtrack-cd (met o.a. Brainpower), singles *Vlinders* en *Afblijven*, videoclips, ringtones, mobile game en merchandise op www.afblijvendefilm.nl.

www.carryslee.nl
www.afblijvendefilm.nl

Omslagontwerp Locust / Michael Randeraat
Foto omslag Govert de Roos
Model Tessa Schram
Ontwerp Carry Slee letterlogo Marlies Visser
Zetwerk ZetSpiegel, Best
ISBN 90 499 2181 7
NUR 284

Carry Slee is een imprint van Foreign Media Books BV,
onderdeel van Foreign Media Group

1

Fleur hoort haar broer fluitend de trap opkomen. Ze doet de deur van haar kamer open.

'Nou nou, jij bent vrolijk. Heb je eindelijk weer eens een voldoende voor je proefwerk gehaald?'

'Nee.' Pieter ploft op haar bed neer. 'Ik heb iets veel leukers.'

Ze kijkt haar broer aan en dan begint ze te lachen. 'Ik zie het broertje, je bent verliefd!'

Pieter knikt.

'Wie is het?'

'Je kent haar,' zegt Pieter.

'Ken ik haar? Van school?'

Pieter knikt. 'Ze zit bij jou in de klas.'

'Nee! Vertel op, wie is het?'

'Je krijgt haar straks te zien,' zegt Pieter. 'Ze komt even langs.'

'Nou ja...?!' Fleur moet weten wie het is, maar haar broer laat niks los.

'Het is een verrassing, zusje.' En hij loopt zingend weg.

Fleur blijft overdonderd achter. Iemand uit haar klas... Waarom wil hij het niet zeggen? En dan weet ze het ineens. Het is Melissa! Dat is ook een grap. Als het zo is, heeft ze het wel goed verborgen gehouden. Fleur heeft niks aan haar vriendin kunnen merken. Of toch? In de pauze was ze ineens weg. Misschien zat ze toen wel bij Pieter. Ze herinnert zich wat Melissa op de fiets zei: 'Misschien zie ik je vanavond nog wel even.' Zal ze haar vriendin bellen? Nee, ze doet het niet, want ze weet het niet zeker. Ze moet dus bij haar in de klas zitten. Zou het Elsbeth zijn? Nee, die heeft al verkering. De meeste meiden hebben al iemand. Debby? Die bitch? Nee, daar valt haar broer niet op.

Ze gaat iedereen na, maar uiteindelijk komt ze toch op Melissa uit. Wat zou dat super zijn! Als het Melissa is, heeft Pieter wel een goeie smaak. Haar beste vriendin met haar broer. Melissa wist natuurlijk hoe blij ze zou zijn, daarom heeft ze expres niks verteld. Ze wil haar verrassen. Nou, dat is gelukt! Fleur wordt er helemaal vrolijk van. Ze kan heel goed met Pieter opschieten. Ze vertrouwen elkaar al hun geheimen toe. Hij is ook de enige die weet dat ze eigenlijk het liefst zangeres zou worden, maar dat ze het niet durft. Hij heeft het nog nooit aan iemand doorverteld. Ze vindt Pieter een superbroer. Daarom is ze soms bang dat Pieter verkering krijgt met een kreng dat haar niet moet.

'En jij dan?' vraagt Pieter altijd als ze daarover begint. 'Jij kan toch ook verkering krijgen met een of andere *sucker*. Je hoeft echt niet te denken dat je Toine kan krijgen.'

Fleur vindt het altijd vreselijk als hij dat zegt, maar ze weet dat Pieter het alleen maar doet om haar te beschermen. Ze is stapelverliefd op Toine, maar Toine is veel te knap voor haar. Hij zit in de hoogste klas en hij heeft altijd meiden om zich heen. Iedereen wil wel verkering met hem. Hij drumt in de schoolband. En hij drumt niet zomaar een beetje voor de lol, hij is supergoed.

Pieter zegt het zo vaak: 'Je moet hem uit je hoofd zetten.' Dat probeert ze ook wel, maar het lukt haar niet. Ze is al verliefd op Toine vanaf de allereerste schooldag. Toen ze het schoolplein op kwam lopen, zag ze hem meteen staan. Ze viel als een blok voor hem en sindsdien is het nooit meer overgegaan. Laatst heeft ze zichzelf echt gedwongen om hem uit haar hoofd te zetten. Je mag niet meer aan hem denken, zei ze tegen zichzelf en als je wel aan hem denkt, mag je de hele week geen chocola. En dat is echt een straf, want ze is dol op chocola. Maar ook dat hielp niet. Drie weken heef ze geen chocola gegeten en toen heeft ze het opgegeven. Vannacht droomde ze dat ze samen met Toine op het schoolfeest schuifelde en dat hij haar ineens begon te zoenen. Was het maar zo... Fleur zucht als ze eraan denkt.

'Pieter en Melissa,' zegt ze hardop. Wat een superkick. Dat wordt echt een *big party* als haar vriendin straks binnenkomt. Eigenlijk moet ze een cadeautje voor haar hebben. Fleur denkt na. Had Melissa het laatst niet over die single van Relax? Ja, die wilde ze kopen. Als ze die nou eens voor Melissa brandt. Ja, dat doet ze.

2

Wat hebben ze weer veel huiswerk voor morgen. Fleur slaat zuchtend haar agenda dicht en pakt haar schrift voor Engels uit haar rugtas. Ze heeft nog een proefwerk ook, maar gelukkig kent ze de meeste woorden al. Onder het leren moet ze steeds aan Pieter en Melissa denken. Ze vindt het zo geweldig. Ze is heus niet bang dat ze haar vriendin kwijtraakt. Melissa laat haar echt niet opeens barsten omdat ze verkering heeft. Dat zou zij ook niet doen. Daar is hun vriendschap haar veel te dierbaar voor.

Fleur zucht. Het zal echt niet zo gauw gebeuren dat zij verkering krijgt. In elk geval niet zolang ze nog op Toine verliefd is. Toine moest eens weten. Elke keer als ze hem tegenkomt in de gang gaat er een schok door haar heen. Melissa vindt dat ze nou eindelijk eens in actie moet komen, maar dat durft ze niet. Ze gaat echt niet voor gek staan.

Fleur veert op als ze de bel hoort. Daar zal je Melissa hebben! Ze hoort Pieter de trap af rennen. Wel een raar idee dat ze dit keer niet voor haar komt, maar daar zal ze aan moeten wennen. Ze pakt het cd'tje van haar bureau en houdt hem voor zich. Ja hoor, ze hoort voetstappen op de trap. Pieter komt natuurlijk meteen haar kamer in.

'Gefeliciteerd!' roept ze als de deur opengaat. Met een stralend gezicht staat Pieter in de deuropening. Maar dan verstijft Fleur. Het is Melissa helemaal niet die achter hem staat, het is Debby!

'Hai!' zegt Debby. Ze kijkt rond. 'Wat een te gekke kamer heb jij.'

'Hallo.' Fleur probeert iets aardigs terug te zeggen, maar het kost haar heel veel moeite.

Pieter kijkt naar het pakje in Fleurs hand. 'Wat aardig, mijn zus heeft een cadeautje voor je.'

Nee hè? denkt Fleur. Ze heeft helemaal geen zin om die single aan Debby te geven, maar ze kan moeilijk zeggen dat ze dacht dat Melissa binnen zou komen.

Pieter is zo verliefd dat hij helemaal niet in de gaten heeft dat Fleur teleurgesteld is. 'We gaan naar mijn kamer,' zegt hij. 'Jullie hebben elkaar vandaag al genoeg gezien.'

Fleur blijft stomverbaasd achter. Hoe kan haar broer op Debby vallen? Ze snapt er echt helemaal niks van. Als ze iemand niet aardig vindt, is het Debby wel. In de klas is ze echt heel bitcherig. Daarom mag ze ook niet in hun groepje. Ze heeft het weleens geprobeerd, maar dat willen ze niet. Ze sms't het meteen naar Melissa: JE RAADT NOOIT MET WIE PIETER VERKERING HEEFT! MET DEBBY.

MAAK JE GEEN ZORGEN, HET IS VAST EEN AANVAL VAN PIETER, sms't Melissa terug.

Fleur zit er best mee. Melissa kan nou wel denken dat het een aanval van haar broer is, maar zometeen blijft het heel lang aan tussen die twee. Nou ja, laat ze haar wiskundesommen maar gaan maken, daar heeft ze nu meer aan.

Ze is zo ingespannen aan het werk dat ze schrikt als haar kamerdeur opengaat. Pieter steekt zijn hoofd om de deur.

'Hoe vind je het?' fluistert hij.

'Ik mag haar niet zo,' zegt Fleur zachtjes. 'Ik vind haar een bitch.'

'Dat is ze helemaal niet,' zegt Pieter verontwaardigd. 'Tegen mij is ze hartstikke lief. Als je zelf aardig tegen haar bent, is ze echt heel *cute*.'

Ja hoor broertje, liefde maakt blind, denkt Fleur. Maar dat zegt ze niet. Ze spreekt hem later wel. Pieter wil weggaan als Debby eraan komt.

'Oh, jullie zijn hier!' Ze loopt naar Fleurs bureau. 'Je gaat toch niet al die vreselijke sommen maken, hè? Dat kost je uren. Doe weg, ik heb ze al af. Ik mail ze straks wel naar je.'

'Niet gek,' zegt Fleur. Dit had ze dus nooit verwacht.

'Jij bent echt fan van Gwen Stefani,' zegt Debby terwijl ze de posters bekijkt.

Dat mag je wel zeggen. Fleur is niet alleen fan, Gwen Stefani is haar grote voorbeeld. Ze voelt zich heel erg met haar verbonden.

'Deze poster had je toch nog niet?' vraagt Pieter.

'Nee, die kreeg ik vandaag van Melissa,' zegt Fleur.

'Ik vind Gwen Stefani ook super,' zegt Debby. 'Weet je dat ze naar Nederland komt?'

Fleur knikt. 'Ik móet erheen. Het is alleen zo duur. Een kaartje kost veertig euro.'

'Ik weet het,' zegt Debby. 'Maar mijn oom kent iemand van de organisatie. Ik krijg waarschijnlijk vette korting. Zal ik voor jou ook een kaartje bestellen?'

'Super!' roept Fleur blij. Zou Pieter dan toch gelijk hebben? Debby is echt anders dan op school.

Fleur begint er meteen over als Melissa langskomt.

'Debby is echt heel anders dan je denkt. Ze is hartstikke aardig. Ze regelt ook een kaartje voor mij voor het concert van Gwen Stefani. Ik vind dat we ook wat leuker tegen haar moeten zijn.'

'Hoe bedoel je?' vraagt Melissa. 'Dat ze bij ons groepje mag?'

'Waarom eigenlijk niet?' zegt Fleur.

'Ik denk niet dat Jordi daar blij mee is,' zegt Melissa. 'Hij mag haar niet. Kevin vindt het geen punt, die is zo makkelijk. Zolang ze niet aan zijn BMX komt, vindt hij alles best.'

'Jordi is bevooroordeeld, net als wij,' zegt Fleur. 'Maar als je zelf aardig tegen haar bent, is ze helemaal geen bitch.' Fleur merkt nu al dat ze voor Debby opkomt. Dat komt door Pieter.

'Als jij vindt dat ze bij ons groepje mag, dan doen we dat toch?' zegt Melissa. 'Jordi went er dan maar aan.'

'Misschien gaat hij haar nog wel aardig vinden,' zegt Fleur. 'Je weet maar nooit. Zo meteen wordt hij nog fan van haar.'

Nu moet Melissa lachen. 'Misschien worden we allemaal nog fan van Debby.'

Melissa slaat een arm om haar vriendin heen. 'Ja hoor, jouw broer heeft een heel goeie smaak.'

En dan moet Fleur ook wel lachen.

3

'Kun je me niet missen?' zegt Fleur lachend als ze haar mobiel opneemt.

'Ja, eh... nee dus.' Fleur hoort aan Melissa's stem dat er iets aan de hand is.

'Je moet me helpen,' zegt ze. 'Ik weet echt niet meer hoe ik hier uit moet komen. Het gaat helemaal mis, alles gaat mis...'

'Vertel nou eerst eens wat er is,' zegt Fleur.

'Mijn vader denkt toch dat ik op klassiek ballet zit?' zegt Melissa.

Natuurlijk weet Fleur dat. Ze heeft die smoes zelf voor Melissa bedacht. Melissa wil danseres worden, maar haar ouders zijn superstreng. Ze mag niet eens naar MTV kijken en hiphop is al helemaal taboe. Je zegt gewoon dat je naar klassiek ballet gaat en intussen volg je stiekem de hiphopdanslessen.

'Het leek zo'n goed idee,' zegt Melissa. 'Maar nou wil hij morgen komen kijken. Dat zei hij net: "Ik ben zo benieuwd naar je balletlessen. Ik kom je morgen halen en dan kom ik wat eerder, dan kan ik je zien".'

'Shit,' zegt Fleur. 'Wat nu?'

'Daar bel ik jou voor,' zegt Melissa. 'Je moet me helpen. Als hij komt, ben ik er gloeiend bij.'

'Dan krijg je weer de hele week huisarrest.' Daar baalt Fleur zelf ook van, dan mag ze haar vriendin niet eens meer bellen.

'Minstens,' zegt Melissa. 'Maar wat erger is, dan moet ik van dansles af. Hoe kan ik dan ooit nog danseres worden? Ik voel me zo rot.'

Fleur zucht. 'Dat belachelijke gedoe van je vader ook. Weet Jordi het al?'

'Ik heb hem net gebeld,' zegt Melissa. 'Hij vindt dat ik het eerlijk moet vertellen. Je moet voor jezelf opkomen, zei hij. Maar zo werkt het niet bij mijn vader. Er valt echt niet met hem te praten.'

Dat weet Fleur ook wel. Vorig jaar mocht Melissa niet eens naar het schoolfeest. En als hun favoriete soap op de televisie komt, moet ze altijd bij haar komen kijken, want van Melissa's vader mag ze die niet zien. Het lijkt haar echt verschrikkelijk.

'We moeten er iets op verzinnen,' zegt Fleur. 'Ik bel je zodra ik iets weet.' Ze drukt haar mobiel uit. Ze heeft medelijden met Melissa. Waarom kan haar vader nou nooit normaal doen? Wat dat betreft heeft zij geluk dat ze zulke ouders heeft. Als zij zou vertellen dat ze popzangeres wilde worden, zouden ze echt wel enthousiast zijn. Ze zouden haar altijd steunen. Het komt alleen maar door haarzelf dat haar droom nooit uit kan komen.

Ze zet een nummer van Gwen Stefani op en zingt mee. Tijdens het nummer krijgt ze opeens een ingeving en ze belt Melissa meteen terug.

'Ik weet wat! Je moet veranderen van avond. In plaats van op dinsdag ga je op woensdag naar dansles. Dan bridget je vader toch? Dan kan hij nooit komen kijken.'

'*Great*!' roept Melissa. 'Ik zeg hem dat de lessen verzet zijn en dat het deze week al begint.'

'Dan zit je bij Debby,' zegt Fleur. Maar Melissa hoort haar niet eens.

'Ik ga het meteen zeggen.'

'Zet 'm op!' roept Fleur nog. Ze is blij dat het probleem is opgelost. Intussen is haar cd'tje afgelopen, maar dat maakt haar niks uit. Ze zingt het nummer helemaal zelf. Wat gaat het lekker! Stel je voor dat ze echt zangeres zou worden? Volgens Pieter heeft ze talent en hij is meestal niet zo scheutig met complimentjes. Ze zingt nog een nummer. Fleur weet niet dat de buurman in de tuin staat te luisteren, anders zou ze gauw het raam dichtdoen.

Vlak voor ze naar bed gaat, denkt ze aan haar fiets die nog buiten staat. Als ze geen preek van haar ouders wil hebben, moet ze hem nu binnen zetten. Ze komt net de schuur uit als ze een deur open hoort gaan.

'Hé Fleur,' zegt de buurman. 'Hoorde ik jou net niet zingen?'

4

Fleur schrikt wakker. Ze had een vreselijke nachtmerrie. In haar slaap moest ze voor een zaal vol mensen zingen. Van de stress kwam er geen geluid uit haar keel en toen jouwde iedereen haar uit. Dat kwam vast door het gesprek met de buurman. Het is alweer een week geleden dat hij haar hoorde zingen. Gelukkig had ze gauw een smoes kunnen verzinnen, maar het zit haar helemaal niet lekker. Elke keer als ze hem ziet, is ze bang dat hij er weer over begint. Als ze nu zingt kijkt ze wel tien keer of het raam dicht is.

Ze kijkt op de wekker. Ze mag wel opschieten. Op weg naar de badkamer komt ze Pieter tegen. Meestal heeft hij een ochtendhumeur, maar sinds hij verliefd is loopt hij maar te fluiten.

'Lekker geslapen zusje?'

'Dus niet,' zegt Fleur. Ze vertelt over haar droom.

'Die buurman heeft je behoorlijk opgefokt,' zegt Pieter. 'Je moet je niet zo druk maken. Je zegt toch gewoon dat je niet naar de studio komt.'

'Je moet me helpen,' zegt Fleur. 'Ik ben zo bang dat ik me toch laat overhalen. En ik kan het echt niet aan, misschien val ik wel flauw van de stress.'

'Wat wil je nou dat ik zeg?' vraagt Pieter. 'Luister eens buurman, je mag niet tegen mijn zus praten. Denk erom, anders krijg je klapjes.'

Pieter ligt slap van de lach, maar Fleur vindt er niks aan. 'Haha, wat zijn we weer leuk. Jij moet hem vertellen dat ik helemaal niet kan zingen.'

'Dat ga ik echt niet doen,' zegt Pieter. 'Je zingt hartstikke mooi. Misschien moet je wel een afspraak met hem maken, dan kom je over je angst heen. Nee, daar doe ik niet aan mee.'

'Je moet het voor mij doen,' zegt Fleur. 'Ik doe zo vaak iets voor jou. Ik heb ervoor gezorgd dat Debby in ons groepje mag. Dat heb ik alleen maar gedaan omdat jij verkering met haar hebt.'

'Oké,' zegt Pieter. 'Dat is tof van je.'
'Dus je doet het?'
'Ik ga niet bij hem aanbellen, hoor,' zegt Pieter. 'Maar als ik hem tegenkom dan begin ik erover.'
'Zo ken ik je weer.' Fleur valt hem om de hals en geeft hem een zoen.
'Ja, zo is het wel genoeg.' Pieter maakt zich lachend los.

Haar vrienden zijn er al als Fleur het schoolplein op loopt. Ze kijken allemaal naar Kevin. Hij laat zijn gloednieuwe kunstjes zien op zijn BMX. Het ziet er echt heel stoer uit. Als hij klaar is, klappen ze voor hem.
'Ik doe mee aan een show,' zegt Kevin. 'Het wordt helemaal te gek. Allemaal gasten op hun BMX. Jullie moeten komen kijken.'
'Wanneer is het?' vraagt Jordi.
'Volgende maand, op de zesentwintigste.'
'Dan kunnen wij niet,' zegt Fleur. 'Toch Debby? Dan gaan we naar het concert.'
Debby geeft een gil van schrik. 'Mijn oom kreeg geen kaartje meer. Ik ben het je helemaal vergeten te zeggen. Wat stom! Je had mijn kaartje wel mogen hebben, maar dat kan ik niet maken. Ik moet met mijn nichtje, dat heb ik mijn tante beloofd.'
Fleur ziet rood van schrik. Ze is er helemaal vanuit gegaan dat Debby een kaartje voor haar had, anders had ze dat natuurlijk allang gehaald. Zometeen is het uitverkocht.
'Nou, lekker dan,' zegt Jordi als Debby even wegloopt. 'Dat heeft ze fijn gedaan. Ik snap niet waarom ze opeens bij ons groepje mag. Ze gaat de hele week al mee. Ze hoorde toch bij Anita en Kelly.'
'Bitches United,' zegt Kevin. 'Daar is ze dus uitgekickt. Ze heeft ze een streek geleverd.'
'Dat verbaast me niks,' zegt Jordi.
'Wat dan?' vraagt Fleur.
'Weet ik veel,' zegt Kevin. 'Dat zeggen ze niet.'
'Allemaal roddels.' Fleur loopt de school in. Ze vindt het moei-

lijk als ze iets lelijks over Debby zeggen. Ze is toch de vriendin van haar broer.

Jordi komt haar achterna. 'Je ziet het toch zelf ook wel,' zegt hij als ze samen bij de kapstok staan. 'Eerst was ze poeslief. Ze heeft zich in ons groepje geslijmd en nou heeft ze opeens geen kaartje.'

'Onzin,' zegt Fleur. 'Je mag haar niet, daarom denk je dat. Ze is echt aardig. Iedereen vergeet weleens iets.'

Ze heeft er zelf ook de pest over in. Zo meteen is het uitverkocht! Ze belt meteen naar het Uitbureau, maar ze zijn nog niet open.

'Jij moet naar dat concert,' zegt Melissa als ze in de aula staan.

'Ja,' zegt Kevin. 'Anders geeft Debby haar kaartje maar aan jou.'

'Dat wou ze doen, hoor,' zegt Fleur. 'Maar ze kan mij toch niet met haar nichtje laten gaan? Leuk voor die nicht.'

'Ja hoor,' moppert Jordi. 'Het klinkt allemaal zo aardig. Ik zou het bijna geloven.'

Fleur probeert weer te bellen en dan krijgt ze het antwoordapparaat. Ze zien het aan haar gezicht. 'Het is helemaal uitverkocht.' De tranen staan in haar ogen.

'Hoor je dat?' zegt Melissa als Debby bij hen komt staan. 'Fleur kan niet naar het concert.'

'Ik vind het zo erg voor haar,' zegt Debby.

Als ze weg is, fluistert Jordi iets in Melissa's oor. Melissa knikt.

'Wat is dat voor actie?' vraagt Kevin als Fleur bij het koffieapparaat staat.

'Ik ga op internet kijken,' zegt Jordi. 'Misschien hebben ze daar nog een zwart kaartje.'

'Dat is duur, hoor,' zegt Kevin.

'Dan dokken we toch met z'n allen,' zegt Jordi. 'Ze moet erheen.'

Dat vinden Melissa en Kevin ook.

Fleur zit in het zonnetje in het raam van haar kamer. In de verte ziet ze Debby en Pieter aan komen rijden. Ze denkt meteen aan het concert. Ze baalt er verschrikkelijk van dat het is uitverkocht. Ze wil er zo graag heen. Straks gaat ze nog een keer bellen en dan laat ze zichzelf op de reservelijst zetten. Het móet lukken.

Voor de deur pakt Pieter het stuur van Debby vast en geeft haar een kus. Fleur vindt het nog steeds raar om ze samen te zien. Ze lopen net het tuinhek door als de buurman aan komt rijden. Fleur duikt weg. Zou Pieter over haar beginnen? Dat doet hij vast niet waar Debby bij is.

'Ha Pieter,' hoort ze de buurman zeggen.

'Hoi,' zegt Pieter. 'Het was wel een goeie mop, hè?'

'Wat bedoel je?' vraagt de buurman.

'Nou, vorige week met Fleur. Ze zei dat jij dacht dat ze zelf zong. Dat heb je hè, als je in de platenbusiness zit.'

Fleur luistert gespannen. Wat doet Pieter dat weer goed! Dit zou ze zelf dus nooit durven.

'Ja,' lacht de buurman. 'Het klonk prachtig.'

'Gwen Stefani zingt ook mooi,' zegt Pieter. 'Die hoor je vast liever dan mijn zus. Ik moet er elke ochtend naar luisteren als ze onder de douche staat. Vals dat ze zingt! Ik ken echt niemand die zo vals zingt als Fleur. Nou, dan ben je meteen wakker, hoor.'

'Dus haar hoef ik niet op te nemen?' vraagt de buurman lachend.

'Nee,' zegt Pieter. 'Er valt echt niks aan haar stem te verdienen. Alleen als je iedereen weg wilt jagen, misschien.'

'Nou, mooie boel. Denk ik nieuw talent te hebben gevonden, is het weer niks. *That's life*, zullen we maar zeggen.' De buurman loopt lachend naar binnen.

Het is dat Debby erbij is, anders zou Fleur haar broer om zijn nek vallen. Ze hoort de achterdeur. Als hij nou maar niet tegen Debby zegt dat het een leugen is. Debby kletst alles door, dan weet morgen de hele school haar geheim. Ze kijkt Pieter aan als hij de deur van haar kamer opendoet.

'Dus jij zingt zo vals,' zegt Debby. 'Dat wist ik niet. Laat eens wat horen?'

'Nee, alsjeblieft niet!' roept Pieter uit. Hij geeft Fleur een knipoog en trekt Debby mee.

Tof van je broertje, denkt Fleur, en ze steekt haar duim naar hem op. Daar is ze vanaf. De buurman zal haar echt niet meer vragen. En één ding weet ze zeker, ze gaat nooit meer zingen met het raam open.

Zuchtend ploft ze neer op bed. Nu merkt ze pas hoe erg ze erover in zat. Wat is het toch heerlijk dat ze Pieter altijd kan vertrouwen. Hij liegt zelfs tegen Debby voor haar. Fleur voelt dat ze dat fijn vindt. Ze schrikt er zelf van. Melissa vroeg nog of ze niet jaloers was op Debby. 'Jullie zijn altijd zo *close*,' zei ze, 'en nu is hij toch steeds met haar.'

'Natuurlijk niet,' had Fleur gezegd, maar een beetje moeilijk vindt ze het wel.

5

Het lijkt wel of het Uitbureau voortdurend in gesprek is. Fleur heeft ze al de hele week proberen te bellen. Daarom is ze er nu maar naartoe gegaan.

Zie je wel, denkt ze als ze binnenstapt en een man achter de balie ziet staan. Dit had ik veel eerder moeten doen. Nou krijg ik tenminste iemand te spreken.

'Ik kom voor het concert van Gwen Stefani,' zegt ze.

De man wijst op een groot bord. 'Heel spijtig jongedame, maar het is uitverkocht.'

'Dat weet ik,' zegt Fleur, 'maar ik wil op de reservelijst.'

De man schudt zijn hoofd. 'Het heeft geen zin om je naam te noteren.'

Wat een onzin, denkt Fleur. Ze moet zorgen dat ze erop komt. 'Het kan toch dat er iemand afzegt,' probeert ze nog.

'Inderdaad,' zegt de man. 'In dat geval zijn er nog veertig anderen voor je. Volgende keer beter zou ik zeggen.' Hij neemt de telefoon op.

Als Fleur naar huis fietst, dringt het pas echt tot haar door wat er aan de hand is. Gwen Stefani, haar grote idool, komt eindelijk naar Nederland en zij heeft geen kaartje. Ze kan er niet eens heen! Hoe kon ze zo stom zijn om het aan Debby over te laten? Zoiets belangrijks. Ze kijkt er al maanden naar uit.

Als ze thuiskomt, loopt ze meteen door naar boven. Ze loopt Pieters kamer in. 'Ik baal zo erg. Ik kan dus echt niet naar het concert.'

'O? Nou, jammer dan,' zegt Pieter.

'Wat nou jammer?' zegt Fleur. 'Dat is hartstikke erg.'

'Er zijn ergere dingen,' zegt Pieter. 'Heb je nog meer? Ik moet voor mijn proefwerk leren.' Hij wil de deur van zijn kamer dichtdoen.

'Wat is er met jou?' vraagt Fleur. De laatste week is haar broer steeds kortaf, dat heeft ze wel gemerkt, maar vandaag is hij wel erg chagrijnig.

'Begin jij nou ook al?' roept Pieter geïrriteerd. 'Ik ben net van het gezeur van mama af.'

Fleur kijkt Pieter aan. Er is wél iets, denkt ze. 'Heb je soms ruzie met Debby?'

'Nee, helemaal niet.' Pieter gaat op zijn bed zitten. 'Met Debby is helemaal niks aan de hand.'

Met jou anders wel, denkt Fleur. Ze gaat naast hem zitten en slaat een arm om hem heen. 'Je kan het toch wel vertellen?'

'Ach,' zegt Pieter. 'Het ligt aan mij. Ik vind er gewoon niet zoveel meer aan. Ik zie mijn vrienden bijna niet. Ik stik in die verkering. Het is eigenlijk niks voor mij. Ik wil vrij zijn.'

'Het zit je al de hele week niet lekker, hè?' zegt Fleur.

'Nee,' zegt Pieter. 'Ik loop er steeds mee rond dat ik het uit moet maken, maar ik vind het zo lullig tegenover Debby.'

'Misschien vindt ze het wel helemaal niet zo erg als je denkt,' zegt Fleur. De laatste dagen vond ze Debby niet zo verliefd meer en vanochtend flirtte ze met een jongen uit de derde, maar dat zegt ze maar niet. 'Het kan toch dat ze het helemaal niet zo erg vindt,' zegt ze. 'Misschien kunnen jullie vrienden blijven.'

'Dus jij denkt ook dat ik het uit moet maken?'

'Pieter,' zegt Fleur. 'Dat hoef ik toch niet te zeggen. Zoiets beslis je zelf.'

'Ik denk dat ik het nu meteen doe.'

'Je gaat het toch niet over de telefoon vertellen, hè?' zegt Fleur als Pieter zijn mobiel pakt. 'Stuur anders een e-mail, nou goed? Dat kan toch niet? Je moet naar haar toegaan. Bel haar op en zeg dat je eraan komt.'

Pieter toetst Debby's nummer in. 'Hai, met mij,' zegt hij. 'Ik wil even iets bespreken, is het goed als ik langskom? Oké, tot zo.'

'Nou, dan ga ik maar,' zegt hij. 'Wel een kutklus.'

'Uitmaken is altijd naar,' zegt Fleur. 'Maar als je terugkomt, ben je weer vrij. Denk daar dan maar aan. Succes!'

Door dat gedoe met Pieter was ze het concert even vergeten,

maar nu denkt ze er weer aan. Ze voelt zich meteen weer depri. Haar moeder ziet het meteen aan haar als ze haar kamer in komt.

'Is het niet gelukt met het kaartje?'

'Nee,' zegt Fleur. 'Ik kan er dus echt niet naartoe.'

'Meisje toch,' zegt haar moeder. 'Als ik je kan troosten dan moet je het zeggen.'

Fleur vindt het lief van haar moeder, maar niemand kan haar troosten.

Maar is dat eigenlijk wel zo? Ze denkt aan Toine. Eén kus van Toine zou het helemaal goedmaken.

Fleur zit nog steeds op haar kamer te treuren als ze voetstappen op de trap hoort. Nog geen minuut later wordt haar kamerdeur opengegooid. Jordi en Melissa stappen binnen.

'We hebben wat voor je,' zeggen ze.

'Een cadeautje?' vraagt Fleur.

'Ja,' zegt Jordi. 'We vinden het zo balen voor je dat je niet naar het concert kunt, daarom wilden we je verrassen.'

'Dat is hartstikke lief.' Fleur voelt aan het pakje. 'Het is vast een cd'tje.'

'Maak maar open,' zegt Melissa.

Fleur haalt het papier eraf. Ze ziet een zelfgemaakte cd-hoes met Gwen Stefani erop. En dan springen de tranen in haar ogen. 'Stom hè, nou moet ik nog huilen ook. Het is ook zo erg dat ik niet naar haar toe kan.'

'Dus we hebben een heel verkeerd cadeau?' zegt Melissa.

'Ach.' Fleur moet om zichzelf lachen. 'Ik heb haar cd's expres ver weggestopt. Als ik ernaar kijk, denk ik meteen aan het concert.'

'Maar als je deze cd openmaakt, word je wel blij,' zegt Jordi.

'Willen jullie dat ik 'm opzet?'

'Maak maar open,' zegt Melissa.

Fleur doet het cd-hoesje open en dan geeft ze een gil van blijdschap. 'Nee, dit kan niet! Hoe komen jullie aan dat kaartje? Het is hartstikke uitverkocht.'

'Op internet gescoord,' zegt Jordi. 'Kevin heeft ook meebetaald.'

'Jullie zijn schatten. Dat ik daar niet zelf aan heb gedacht. Ik heb een kaartje!' Ze vliegt haar vrienden om de hals en danst door haar kamer.

'Zet je cd's maar weer op,' zegt Melissa.

'Wat denk je?!' Fleur haalt er meteen een te voorschijn. Nog geen tel later schalt Gwen Stefani door de kamer. 'Geweldig!'

'Ik moet weg,' zegt Jordi. 'Ik moet naar mijn nieuwe baantje.'

'En ik moet aan mijn huiswerk,' zegt Melissa, 'want vanavond heb ik hiphopdansles.'

Fleur brengt haar vrienden naar beneden. Dan loopt ze de kamer in. 'Ze hebben een kaartje voor me gekocht op internet!'

'Dat noem ik nog eens lieve vrienden,' zegt haar moeder.

'Lief? Superlief!' Fleur danst de trap weer op.

Fleur moet wel lachen als ze 's avonds boven zit. In de kamer naast haar is weer leven. Het is wel een heel verschil met van de week. Nu hoort ze haar broer weer met zijn vrienden schateren. Hij was zo opgelucht toen hij thuiskwam. Hij had er heel erg tegenop gezien om het uit te maken, maar het viel reuze mee. Debby vond het wel erg, maar volgens Pieter reageerde ze heel lief. Ze stelde zelfs voor vrienden te blijven. Dat vindt Fleur wel tof van Debby. Het leek haar al zo lastig. Debby zit nu toch in hun groepje. Ze gaan steeds meer met haar om. Het zou hartstikke onhandig zijn als ze ruzie met Pieter had.

Ze kijkt nog een keer naar het kaartje en dan zet ze een cd op. Nog één nummer en dan gaat ze aan haar huiswerk.

Fleur is net begonnen aan haar Duits als haar mobiel gaat.

'Ik mag auditie doen!' wordt er door de telefoon geroepen.

Fleur herkent meteen Melissa's stem, maar waar heeft ze het over? 'Voor wat?' vraagt ze.

'Het is zo spannend,' vertelt Melissa. 'Ze gaan een clip maken met Brainpower. Daarvoor hadden ze dansers nodig en ik mag auditie doen.'

'Echt waar? Daar heb je niks over verteld.'
'Ik wist het zelf ook niet,' zegt Melissa. 'Ik heb zo'n geluk dat ik nu op woensdagavond zit, anders had ik niet eens mee kunnen doen. Debby mag ook. Top, hè? Jordi vindt het ook geweldig. Ik heb het toch gezegd. Als je iets echt graag wilt en je gaat er helemaal voor, dan lukt het.'
'*Great*!' roept Fleur. Ze is heel blij voor haar vriendin.
Als de verbinding is verbroken, beseft ze het pas. Melissa gaat misschien meedoen aan een clip. Als het doorgaat ziet ze haar vriendin op de televisie. Dat ze dat durft! Melissa is hartstikke onzeker. Zelf zou ze het dus nooit durven, ze moet er niet aan denken.
Ze gaat verder met haar Duits, maar dan gaan de woorden van Melissa door haar hoofd spoken. Als je ergens echt voor gaat, dan lukt het. Ze denkt aan Toine. Ze heeft nog nooit iets geprobeerd. Melissa zegt het zo vaak: 'Je neemt ook helemaal geen initiatief. Hoe moet hij nou weten dat je hem zo leuk vindt?' Daar heeft ze wel gelijk in. Maar wat zou ze dan moeten doen? Ze weet eigenlijk niks van Toine. Hij heeft een tijdje verkering gehad met een meisje uit 2c, maar dat is al een poosje uit. Misschien heeft hij wel verkering met iemand die niet bij hen op school zit, dat kan toch? Jordi en Melissa kennen hem ook niet zo goed, anders was het makkelijk. Wacht eens even! Ineens denkt ze aan Kevin. Hij zit met Toine in de schoolband. Kevin weet vast wel of hij al iemand heeft. Als ze morgen op school is, gaat ze het meteen vragen.

6

De hele weg naar school denkt Fleur aan haar voornemen van gisteravond. Ze moet actie ondernemen, maar ze vindt het wel heel erg eng. Maar waar heb ik het eigenlijk over? denkt ze bij zichzelf. Melissa gaat in een clip dansen, dat is pas eng. Maar als ze haar vriendin op school hoort, blijkt dat ze helemaal niet meer zo enthousiast is. Ze durft eigenlijk geen auditie meer te doen. Maar ze kan niet meer terug, want de halve klas is al van het goeie nieuws op de hoogte. Iedereen vindt dat ze het moet doen.

Fleur is het helemaal met haar vrienden eens. 'Dit is je kans,' zegt Fleur als ze met Melissa de school in loopt. 'Ook al vind je het eng, dan nog moet je het doen.'

'Dat moet jij zeggen,' lacht Melissa. 'Elke keer als je Toine tegenkomt, krijg je een kop als vuur. En je zet niet één stap.'

'Jawel,' zegt Fleur. 'Ik heb erover nagedacht. Ik ga er wat aan doen. Ik zweer het,' zegt ze als Melissa haar vol ongeloof aankijkt. En ze steekt twee vingers omhoog.

Fleur heeft geluk. Kevin staat bij zijn kluisje. Ze loopt meteen naar hem toe. 'Hoe gaat het eigenlijk met de schoolband?' vraagt ze.

'Top!' zegt Kevin.

'Repeteren jullie nog steeds elke week?'

'Ja,' zegt Kevin. 'Wat dacht jij dan?'

'Zeker wel gezellig, hè, *boys only*?'

Kevin knikt.

'Of, eh... neemt een van jullie weleens zijn vriendin mee? Toine bijvoorbeeld?'

Nu moet Kevin lachen. 'Ik heb je wel door. Jij wilt alleen maar weten of Toine iemand heeft. Volgens mij is hij vrij, maar ik zou hem voorlopig maar met rust laten. Hij is helemaal niet in de *mood* voor verkering.'

'Hoezo niet?' vraagt Fleur.

'Hij heeft het veel te druk met de band. John wil liever op zijn synthesizer spelen in plaats van zingen.'

'Dat hoorde ik. Maar jullie hadden toch een advertentie in de schoolkrant gezet?'

'Klopt' zegt Kevin. 'We hebben vier reacties gekregen, maar er zat niks bij. Eén meisje was wel professioneel, maar ze was gothic.'

'Dan neem je een zanger,' zegt Fleur.

'Vertel dat maar eens tegen Toine. Hij wil per se een zangeres.' Kevin kijkt naar Fleur. 'Laat Toine maar lopen. Verkering is helemaal niks voor hem. Je moet verkering met een BMX-er nemen, zoals ik. Nooit problemen.'

'Ja hoor, lekker zoenen met een BMX-er, nou goed?' zegt Fleur. Ze rent naar Melissa toe. 'Toine is nog single!'

'Gaaf!' zegt Melissa. 'En nu *powerwoman* zijn, hè?' Melissa heeft het nog niet uitgesproken of ze pakt Fleur bij haar arm. 'Kijk eens wie daar aan komt! Pak je kans.'

Fleur schiet met een rood hoofd een leeg lokaal in.

'Nee,' zegt Melissa. 'Je hebt het gezworen.' Ze trekt Fleur de gang op.

'Niet doen, gek!' Fleur rukt zich los.

'Je zou toch actie ondernemen?' zegt Melissa.

'Nu zeker, waar al die jongens bij zijn? De groeten!' Fleur wacht tot Toine langs is gelopen en dan komt ze naar buiten.

In haar fantasie heeft Fleur wel honderd keer voor zich gezien hoe ze de aandacht van Toine kon krijgen. De ene keer verzon ze dat ze expres iets liet vallen als hij eraan kwam en dat hij het voor haar opraapte en haar aankeek. Of ze liet vlak voor zijn huis haar band leeglopen. Dan verzon ze dat hij toevallig naar buiten kwam en haar te hulp schoot. Maar dat het in werkelijkheid zo zou gaan, had ze nooit gedacht. En ze heeft er niks voor hoeven doen!

Toen ze net over de gang liep, kwam Toine langs en hij groette haar. Niet zomaar een lachje, nee. 'Hoi Fleur,' zei hij, en hij keek er heel lief bij.

Ze hebben Nederlands, maar ze heeft helemaal geen zin om in de klas te zitten. Ze heeft zin om te feesten. Vanaf de brugklas is ze al verliefd op hem en nu zei hij haar gedag! Het ging zo snel. Als ze alleen was geweest, had ze gedacht dat ze het zich verbeeldde maar Jordi en Melissa waren er ook bij. Ze viel haar vriendin van opwinding om de hals.

Daarna was het niet zo leuk. Wat was er ook alweer? O ja, ineens weet ze het. Debby maakte weer eens een rotopmerking. Ze zei dat Toine veel te knap voor haar was. Niet aan denken, hij heeft haar gedag gezegd. Daar gaat het om. Nu is zij aan zet. Hoe kan hij anders weten dat ze hem ook leuk vindt? Ze kan niet zomaar naar hem toegaan. Waar moet ze het over hebben? Ze weet niks van hem, behalve dat hij helemaal gek is van drummen.

De hele les zit ze te denken. Ze moet er zelfs van zuchten. Voor iedereen weet ze altijd een smoes te verzinnen, ook voor de klas als ze een proefwerk willen uitstellen, maar nu het haar zelf betreft, klapt ze helemaal dicht. Als Melissa nou verliefd was op iemand die drumde, en ze wist niet hoe ze het moest aanpakken, wat zou ze haar dan aanraden?

Het werkt meteen. Hij houdt toch zo van drummen? zou ze zeggen. Nou, dan stap je gewoon op hem af en dan zeg je dat je neef bijna jarig is en dat hij ook zo van drummen houdt. Dan vraag je of hij misschien een goeie cd weet om te geven. Gaaf! Fleur is er helemaal blij mee. Dat doet ze. Zodra het pauze is, gaat ze naar hem toe.

'Wat een saaie les,' zegt Melissa als ze op de gang lopen. 'Dat uur ging maar niet om, ik viel zowat in slaap.'

'Ik heb juist een superspannend uurtje achter de rug,' zegt Fleur opgewonden. 'Ik heb namelijk iets bedacht om met Toine in contact te komen.'

'Vertel op!' Melissa is één en al oor.

'Geweldig!' roept ze als Fleur uitverteld is. 'Dat is echt cool.'

Fleur loopt het plein op. Ze voelt haar hart nu al bonken en ze heeft nog niks gezegd. Zo meteen komt hij naar buiten en dan moet het gebeuren. Ze kent Toines rooster uit haar hoofd. Hierna heeft hij gym dus gaat hij naar het veld.

'Daar heb je hem!' zegt Melissa als Toine de school uit komt.

'Nee hè,' zegt Debby. 'Je gaat toch niet naar Toine toe? Dat zou ik dus echt nooit doen als ik jou was, maar dat heb ik al gezegd. Je gaat echt op je bek, dat verzeker ik je.'

Even aarzelt Fleur. Stel je voor dat Debby gelijk heeft. Maar Melissa verzekert haar dat hij voortdurend naar haar kijkt en dan doet ze het toch.

'Vlug!' zegt Melissa als Toine de fietsenstalling inloopt.

'Duim voor me!' zegt Fleur en ze gaat Toine achterna. Bij de ingang van de fietsenstalling blijft ze staan. Ze gluurt naar binnen. Een eindje verderop staat Toine gebogen over zijn fiets. Opschieten, denkt ze, zo meteen komt hij eraan. Ze staat een meter of vijf van Toine vandaan. Toe dan, zegt ze tegen zichzelf, ga dan naar hem toe. Maar dan raakt ze in paniek. Straks vraagt hij wie haar neef is en wil hij met hem mailen omdat-ie ook zo van drummen houdt. Dan valt ze door de mand. Ik doe het niet, denkt ze, ik doe het echt niet. Ze draait zich om en verbergt zich achter het muurtje van de stalling. Ze wacht tot Toine voorbij is en dan komt ze weer te voorschijn.

'En?' vraagt Melissa.

'Hij wist niks,' zegt Fleur.

'Hoe kan dat nou?' zegt Melissa. 'Hij weet toch wel een cd? Vroeg hij verder helemaal niks?'

Fleur schudt haar hoofd.

'Zie je wel,' zegt Debby. 'Ik zei het toch. Hij zit echt niet op jou te wachten.'

'Wat zei hij precies?' vraagt Melissa.

'Gewoon, dat hij geen cd wist.'

'Echt een afgang,' zegt Debby. 'Nou, dat weet je dan. Zet hem nu maar uit je hoofd.'

Melissa kijkt Fleur aan. 'Dat had ik dus nooit gedacht. Wat erg voor je. Sorry, het is mijn schuld maar ik dacht echt dat hij je leuk vond.'

Fleur ziet dat Melissa er echt mee zit. Nu kan ze het niet langer volhouden. 'Nee hoor,' zegt ze gauw. 'Ik heb het niet gevraagd. Hij stond bij zijn fiets, maar ik durfde het niet.'

Fleur holt Pieters kamer in. 'Heb jij het hem verteld?'
Pieter kijkt haar aan alsof ze gek is. 'Waar gaat dit over?'
'Over Toine,' zegt Fleur. 'Hij zei me op school gedag!'
'Nou, dat kan toch,' zegt Pieter.
'Maar hij zei: "Dag Fleur!"'
'Wat moet hij dan zeggen?' vraagt Pieter. 'Dag Truusje?'
'Doe nou even serieus,' zegt Fleur. 'Hoe weet hij dat ik Fleur heet?'
'Mij heeft hij niks gevraagd,' zegt Pieter.
Fleur geeft een gil van opwinding. 'Dan heeft hij het opgezocht in de leerlingenlijst. Misschien heeft hij ook mijn adres. O, stel je voor dat hij hier ineens voor de deur staat.' Fleur rent naar het raam en kijkt naar buiten.
'Relax,' zegt Pieter. 'Je maakt er een hele *love story* van.'
'Dat is het ook,' zegt Fleur terwijl ze de straat in kijkt.
'O, Pieter, het is zo spannend. Ik ben vanochtend naar hem toegegaan met een of andere smoes, maar ineens durfde ik het niet meer.'
'Hoezo een smoes?' zegt Pieter. 'Vraag hem gewoon mee naar de film.'
'Naar de film?' roept Fleur uit.
'Ja, waarom niet? Ik zou het wel leuk vinden als een meisje me mee naar de film vroeg. Nooit weg, toch?'
'Wat een superidee!' Fleur geeft hem een kus en gaat dansend naar haar kamer. Ze ziet zichzelf al met Toine in de bioscoop zitten. Wat romantisch!
Van blijdschap zingt ze haar lievelingsnummer. Het is een heel romantisch lied en het klinkt nog mooier dan anders. Onder het zingen kijkt ze geschrokken naar het raam. Help, denkt ze, hij staat open! Ze doet het snel dicht.

7

Fleur kijkt naar Toine die de gang in loopt. Even aarzelt ze, maar dan gaat ze hem toch achterna. In de aula hoort ze haar vrienden lachen. Die denken natuurlijk dat ze het weer niet durft. Maar ze is niet van plan Toine te bespieden zoals gisteren. Ze versnelt haar pas. O, wat is het eng, ze voelt krampen in haar maag, maar ze doet het toch. Wat kan haar gebeuren? Als hij zegt dat hij niet mee wil, dan weet ze in ieder geval waar ze aan toe is.

'Toine!' roept ze. Ze schrikt ervan als hij zich omdraait. Ze heeft hem geroepen, nu moet ze het ook zeggen.

Toine blijft staan. Hij wordt rood als hij haar ziet. 'Ha Fleur,' zegt hij. En hij komt naar haar toe. Even kijken ze elkaar aan zonder iets te zeggen en dan moeten ze allebei lachen.

'Stom hè,' zegt Fleur. 'Ik wou je iets vragen.'

'Nou, dat vind ik helemaal niet stom,' zegt Toine. 'Je bent me voor, ik wilde jou eigenlijk ook iets vragen.' Hij lacht verlegen.

'Ik ben eerst,' zegt Fleur. 'Ik wou vragen of je een keer met me naar de film wilt.' Haar stem slaat over van de stress.

'Wat toevallig,' zegt Toine, 'dat wilde ik jou ook net vragen.'

Nu moeten ze alle twee lachen.

'Nou, gaaf! Doen we,' zegt Toine.

'Goed dan! Ik zie je nog wel.' Fleur draait zich om en loopt weg. Hij doet het! Denkt ze. Hij wil mee! Ze is bijna bij de aula als ze zich omdraait. Ze ziet dat Toine zich ook omdraait en dan zwaaien ze naar elkaar. Als Fleur doorloopt, bedenkt ze dat ze niks hebben afgesproken. Ze heeft niet eens haar mobiele nummer gegeven. Ach, wat maakt het uit, hij wilde haar ook vragen. Fleur heeft zin om het door de hele school te schreeuwen: Toine gaat met me naar de film!

Fleur staart zuchtend voor zich uit. Ze denkt aan Melissa die vanmiddag auditie doet. Ze hoopt zo voor haar vriendin dat het haar lukt. Ze moet nu zo ongeveer wel klaar zijn. Wat was ze gestrest! Het had een haartje gescheeld of ze was helemaal niet gegaan. Fleur heeft haar de hele dag moeten kalmeren. Net heeft ze ook nog een sms'je gestuurd om haar succes te wensen. Wel wat anders dan Debby, aan haar was niks te merken.

'Ik word toch wel aangenomen,' zei ze nog.

Fleur heeft steeds meer moeite met Debby. Nou vertelde ze weer dat die regisseur twijfels over Melissa had. Daar maakt ze Melissa toch alleen maar nog onzekerder mee? Ze snapt het niet, zoiets zou zij nooit zeggen. Ze merkte wel dat Jordi zich dood ergerde. Als het aan hem lag, was ze allang uit hun groepje gekickt. Fleur kwam vanochtend nog voor haar op. Dat komt ook doordat Debby zo lief heeft gereageerd toen Pieter het uitmaakte.

Ze zit net verdiept in een wiskundesom als haar mobiel gaat. Misschien is het Toine en wil hij een afspraak maken. Ze wordt meteen knalrood. Maar dan bedenkt ze dat dat niet kan. Toine heeft haar nummer niet eens. Het is Melissa.

'En?' vraagt ze.

'Ik mag meedoen!' roept Melissa. 'Ik mag in de clip!'

'Super!' roept Fleur blij. 'Daar ben je nou zo bang voor geweest. Hij vindt je dus net zo goed als Debby.'

'Beter!' roept Melissa.

'Wat bedoel je?' vraagt Fleur.

'Debby is niet gekozen,' zegt Melissa zachtjes. 'Ik vind het wel rot voor haar, maar ik heb haar helemaal niet meer gesproken. Ze was al weg toen ik kwam. Ik was namelijk vet te laat.'

'Hoe kan dat nou? Je ging toch met Debby mee?'

'Dat dacht ik ook,' zegt Melissa. 'Haar moeder zou me ophalen, maar ze zijn helemaal niet langsgekomen. Ik heb Debby nog gebeld, en toen stond haar telefoon uit. Toen heb ik snel Jordi gebeld, op het allerlaatste moment, en die heeft me gebracht. Een gestres dat het was! We stonden eerst nog voor de verkeerde studio. Maar wat maakt het uit? Ik zit erin! Ik kom op MTV.'

'Waar zit je nu?' vraagt Fleur.

'In een café met een andere danser, Jim heet hij. Het is zo cool, er zijn hier allemaal dansers.'

'En Jordi?'

'Die ging naar huis,' zegt Melissa. 'O, ik moet hangen. Ik zie je morgen in het Kooltuintje, goed?'

Fleur is er helemaal beduusd van als ze haar mobiel uit drukt. Melissa's droom komt uit. Ze komt in een clip en dan kan ze danseres worden. Ze zit nu al tussen de dansers. Wat stoer! Even denkt ze aan haar eigen droom. Durfde zij maar voor de buurman te zingen, dan ging het met haar misschien ook zo. Maar tegelijk weet ze het zeker: voor een publiek staan en dan zingen, dat gaat ze nooit doen!

8

Fleur is op weg naar het Kooltuintje. Daar komt hun groepje op zaterdagavond altijd bij elkaar. Soms is Toine er ook. Fleur hoopt zo dat hij vanavond ook komt, dan gaat ze meteen naar hem toe en dan spreekt ze iets met hem af. Vannacht heeft ze weer van hem gedroomd. Het was superromantisch. Ze reden samen op de fiets door de stad. Ineens gingen ze het park in en pakte Toine haar hand. Terwijl ze allemaal vogelgeluiden om zich heen hoorden, reden ze daar hand in hand. Een groepje kinderen lachte toen ze hen zagen. 'Haha, die zijn verliefd!' riepen ze. Toen werd ze ineens wakker. Echt Pieter weer. Hij had zijn geluidsinstallatie keihard gezet. Weg droom.

'Lekker geslapen, zus?' vroeg hij toen ze kwaad haar bed uit kwam.

'Ja, en als jij je muziek niet zo belachelijk hard had gezet, sliep ik nu nog!' Maar ze kan nooit lang boos op haar broer blijven. Hij weet haar altijd weer aan het lachen te maken.

Als Fleur bij het Kooltuintje aan komt rijden ziet ze een BMX staan. Kevin is er dus al. Debby's fiets ziet ze ook. Jordi's fiets ziet ze niet, maar dan bedenkt ze dat dat ook niet kan. Jordi vertelde dat zijn fiets is gejat, vlak voor de studio waar Melissa auditie deed.

Fleur doet de deur van het Kooltuintje open en dan gaat er een schok door haar heen. Toine is er! Hij is aan het biljarten met een jongen uit zijn klas. Haar hart bonkt in haar keel. Wat moet ze nou? Ze gaat echt niet naar hem toe. Zo meteen wil hij helemaal niks meer met haar en dan staat ze voor paal. Maar ze kan ook niet naar haar vrienden gaan zonder iets tegen hem te zeggen. Dan denkt hij dat ze hem niet meer moet.

Fleur staat in de deuropening als Toine opkijkt. Hij lacht naar haar. Fleur lacht terug. Ga dan naar hem toe, denkt ze. Maar als Toine weer verder gaat met biljarten, durft ze niet meer en ze loopt naar het tafeltje waar haar vrienden zitten. Jordi komt ook binnen en heeft meteen het hoogste woord. Het gaat over een briefje van tien dat hij heeft nagemaakt. Kevin denkt dat het echt is en gaat ermee betalen. Debby ligt ook dubbel van het lachen, maar Fleur hoort het maar half. Ze kijkt alleen maar naar Toine.

Jordi is er zo trots op, hij duwt het briefje in haar hand. 'Moet je zien.'

'Het ziet er heel echt uit,' zegt Fleur. Hou nou maar op met naar Toine te kijken, denkt ze. Je bent hier met je vrienden, hoor, en niet met Toine. Die heeft jou ook niet nodig. Hij is allang weer vergeten dat je hier bent, kijk maar hoe fanatiek hij biljart.

'Hé, kijk eens wie we daar hebben,' zegt Fleur.

Melissa komt vrolijk binnen. Ze geeft Jordi een aai over zijn wang en ze vraagt of hij het al heeft verteld. Fleur heeft zelf ook niks gezegd. Dat moet Melissa zelf maar doen. Maar in plaats van dat Melissa over de auditie begint, krijgt ze ruzie met Debby. Volgens Debby zou Melissa naar haar toe komen. Wat een gedoe. Hier heeft Fleur dus helemaal geen zin in.

'Hou er nou maar over op,' zegt ze. 'Het is duidelijk een misverstand. Vertel nou het goeie nieuws maar.' Fleur kijkt naar de biljarttafel, maar ze ziet Toine niet meer. Zou hij weg zijn gegaan? Maar dan ziet ze hem bij de bar staan. Hij kijkt haar kant op en gebaart of ze iets wil drinken. Fleur hoeft geen seconde na te denken. Ze staat meteen op en loopt naar hem toe.

'Wat wil je drinken?' vraagt hij. Zelf heeft hij een biertje in zijn hand.

'Eh... geef mij maar een breezer,' zegt Fleur. Dat vindt ze wel stoer staan. Ik sta naast Toine, denkt ze. Ze wordt helemaal duizelig van de spanning.

'Alsjeblieft.' Toine geeft haar een breezer. Hij raakt even haar hand aan. Fleur rilt ervan. 'Proost.' Toine tikt tegen haar flesje. Nou moet ze iets zeggen, maar ze weet echt niet wat.

'Kom je nog eens?' roept zijn vriend.

'O, ik moet weer aan de bak,' lacht Toine. 'Of wil je meedoen?'
'Ik kan niet biljarten,' zegt Fleur.
'Als je wilt, kan ik het je leren,' zegt Toine. Fleur loopt met hem mee. 'Dit is Wouter trouwens.'
'Hoi,' zegt ze. 'Ik ben Fleur.'
'Zoiets dacht ik al,' lacht Wouter.
Dus hij heeft over me verteld, denkt Fleur.
'Fleur wil leren biljarten,' zegt Toine.
'O,' zegt Wouter.
'Daar heb je Huib!' zegt Toine. 'Moet je die niet spreken?' Fleur ziet dat hij Wouter een knipoog geeft.
'Heel goed van je,' zegt Wouter en hij loopt weg.
Hij heeft hem expres weggestuurd! denkt Fleur. Hij wil alleen met mij zijn. Ze kan het niet geloven.
'Kijk,' zegt Toine. 'Zo doe je dat.' Hij doet Fleur voor hoe ze de keu vast moet houden en daarna stoot hij een bal weg. Dan geeft hij de keu aan Fleur. 'Nou jij.'
'Dat durf ik niet,' zegt Fleur. 'Zo meteen komt er een gat in het laken.'
'Ik help je.' Toine legt zijn hand ook op de keu, tegen haar hand aan en dan buigt hij zich over haar heen. Fleur voelt haar hele lichaam gloeien. Als hij zijn wang ook nog vlak bij haar wang houdt, heeft ze helemaal het gevoel dat ze zweeft.
'Wat ruik je lekker,' zegt Toine.
Jij ook, denkt Fleur. Ze kan het niet geloven. Staat ze hier echt met Toine zo vlak bij haar? Ze heeft zo vaak over hem gefantaseerd en zich afgevraagd hoe het zou zijn als hij haar aanraakte, maar het is nog veel fijner dan in haar fantasie.
'Toe maar,' zegt Toine.
Fleur stoot, maar de bal schiet de verkeerde kant op. Nu moeten ze alle twee lachen.
'Heel knap voor de eerste keer,' zegt Toine. Ze kijken elkaar aan zonder iets te zeggen. De muziek staat keihard en iedereen zit te praten, maar Fleur hoort helemaal niks. Ze heeft het gevoel alsof ze met z'n tweetjes in het café zijn.

'Mooie ogen heb je,' zegt Toine.
'Jij ook,' zegt Fleur.
Toine streelt zachtjes haar wang. Hij raakt me aan, denkt Fleur.
'Weet je dat ik jou al heel lang leuk vind,' zegt Toine.
'Ik jou ook,' zegt Fleur. Ze had nooit gedacht dat ze dat zou durven, maar ze voelt zich zo fijn bij hem dat ze het zomaar zegt. 'Al vanaf de brugklas.'
'Had ik dat maar eerder geweten,' zegt Toine.
'Wat dan?' vraagt Fleur.
'Dan eh...' Toines gezicht komt steeds dichterbij. 'Dan had ik dit al veel eerder gedaan.' Hij drukt zijn lippen op haar mond en dan zoenen ze.

Fleur zit onder de les naar buiten ze staren. Ze denkt alleen maar aan Toine. Haar droom is uitgekomen. Ze heeft echt verkering met hem. En hoe! Vaak zoekt hij haar in de pauze op en dan zoenen ze. En soms krijgt ze ook een sms'je tijdens de les. Ze voelt zich zo vertrouwd bij hem. Hun verkering is nog maar een paar dagen aan, maar het lijkt net of ze elkaar al heel lang kennen. Pieter plaagt haar er voortdurend mee. 'Ik had niet gedacht dat mijn zus zo *crazy* zou worden als ze verkering had.'
Fleur vindt zelf dat het best meevalt. Ze heeft het aan Melissa gevraagd, maar die is alleen maar blij voor haar. Melissa is helemaal *into* de clip. Ze heeft het steeds over een jongen die Jim heet. Fleur vindt het allemaal wel stoer klinken. Zo meteen krijgt ze nog verkering met hem. Wat een super*catch*! Die Jim heeft al vaker in een clip gedanst. Misschien worden ze samen nog hartstikke beroemd. Dat zou toch geweldig zijn!
Jordi vindt het maar niks, dat merkt ze wel. 'Die gast deugt niet,' zegt hij steeds. Fleur vindt het onzin. Als hij niet deugde ging Melissa echt niet met hem om. Zo naïef is ze nu ook weer niet.
'Hoe vind jij hem dan?' vroeg Jordi.
'Weet ik veel,' zei Fleur. Hoe moet ze dat nou ook weten? Ze heeft hem nog nooit gezien.

Fleur schrikt op uit haar gemijmer als haar leraar haar proefwerk voor haar neus legt. Shit, denkt Fleur. Voor Engels heeft ze nog nooit een onvoldoende gehad. Ze kan haar aandacht niet bij haar werk houden. Dat komt omdat ze verkering met Toine heeft. Ze neemt zich net voor goed op te letten als ze haar mobiel voelt trillen. Ze heeft een sms'je van Toine: STRAKS EEN CD'TJE LUISTEREN? Fleur sms't meteen terug: ALTIJD. Ze heeft er zin in. Gisteren was het ook zo romantisch. Ze was bij hem thuis, Toine heeft boven op zolder een soort ministudio. Daar heeft hij een drumsolo gegeven, speciaal voor haar. Hij speelt zo goed! Dat is mijn vriend, dacht ze. Soms kan ze het gewoon niet geloven, dan is het net een droom. Hij wil later een eigen band oprichten. Dat vindt ze nog wel een beetje eng. Die rocksterren krijgen altijd alle meiden achter zich aan.

Pieter lachte haar uit toen ze het vertelde. 'Daar ga je nu toch nog niet aan denken. Dan heb je allang weer een ander.'

Fleur wil helemaal geen ander. Als het aan haar ligt gaat het nooit meer uit. En Toine heeft haar verteld dat hij nog nooit zo verliefd is geweest.

De bel van de laatste les is nog niet gegaan of Fleur staat al op de gang. Ze kan niet wachten om Toine te zien. Hij staat haar al bij de trap op te wachten.

'Hai,' zegt ze en ze geeft hem snel een kus. Samen lopen ze de school uit. Toine wil naar het fietsenrek lopen als Fleur blijft staan. 'Ik ben vergeten tegen Melissa te zeggen dat ik met jou meega.' Meestal rijden ze samen op.

'Dan wachten we toch even,' zegt Toine. Kevin en Jordi komen er ook bij staan. Ze kijken naar Toine en Fleur.

'Dus jij hebt zo meteen repetitie van de schoolband,' zegt Jordi zo hard dat Toine het wel moet horen en hij geeft Kevin een knipoog.

'Ja,' zegt Kevin. 'Reken maar niet op mij, want het gaat de hele middag duren.'

Toine kijkt op. 'Gaan we repeteren?'

'Alsof jij dat niet weet,' zegt Kevin.

'Nee, echt niet,' zegt Toine. Hij kijkt naar Fleur. 'Sorry, ik wist het niet.'

Nu moet Kevin lachen. 'Ga jij nou maar met je meissie zoenen.'

'O, wat zijn jullie vals!' roept Fleur.

Even daarna komt Melissa naar buiten. Fleur wil haar zeggen dat ze niet meerijdt, maar Melissa holt langs hen heen het schoolplein over. Fleur kijkt haar vriendin na en dan ziet ze waarom ze zo'n haast heeft. Aan de overkant staat een jongen met een scooter. Zou dat Jim zijn? Hij ziet er best goed uit. Fleur snapt wel dat Melissa op hem valt. Of is het iemand anders?

'Is dat Melissa's nieuwe vlam?' vraagt ze aan Jordi, maar die geeft geen antwoord. Hij heeft er behoorlijk de pest in, dat ziet Fleur wel. Dan is het hem dus, denkt ze. Die Melissa... Ze kijkt haar vriendin na. Toine gaat achter haar staan met zijn armen om haar heen.

'*I love you*,' fluistert hij in haar oor.

'Kunnen jullie niet effe wachten tot ik weg ben,' zegt Jordi.

'Wen er maar vast aan,' zegt Toine. Hij kust Fleur in haar nek. 'En jij ook.'

'Oké,' zegt Fleur en dan zoent ze Toine.

9

'Vind je echt dat ik ben veranderd?' vraagt Fleur als Pieter 's morgens de badkamer uitkomt.

'Wat een vraag voor de vroege morgen,' zucht Pieter. 'Ik heb mijn ogen net open. Waar heb je het over? Ben ík veranderd?'

'Nee, ík, mafkees,' zegt Fleur. 'Je zegt de hele tijd dat ik zo raar ben geworden sinds ik met Toine ga. Of is dat een grapje?'

'Nou, dit vind ik anders behoorlijk maf,' zegt Pieter. 'Wie begint er nou op dit uur over zoiets? Dat moet je maar aan een psycholoog vragen, hoor.' Hij loopt weg.

Een psycholoog? Echt Pieter weer. Maar toch zit het haar niet lekker. Ze merkt het ook aan Melissa. Ze weet niet wat het is, maar het lijkt anders tussen hen. Minder *close* of zo. Het is net of Melissa haar ontwijkt als ze iets vraagt. Vooral als ze over de clip begint. Gisteren belde ze haar en toen drukte ze haar weg, dat heeft ze nog nooit gedaan. Het komt door haar, dat weet ze zeker. Het is sinds ze met Toine verkering heeft. Het is ook wel heel echt. Ze is zelfs op het feestje van Toines zusje geweest. Het was hartstikke leuk, maar ook heel spannend. Ze heeft zijn moeder ontmoet. Fleur vond haar heel aardig. Volgens Pieter praat ze over niets anders, dat is ook irritant. Van een ander vindt ze dat altijd vreselijk en nu doet ze het zelf! Zo wil ze helemaal niet zijn. Natuurlijk is Toine heel belangrijk voor haar, maar ze wil haar vrienden niet ineens verwaarlozen. Vanmiddag gaat ze niet met Toine mee, dan gaat ze iets leuks met Melissa doen en dan zegt ze haar meteen dat het haar spijt, dan komt het wel weer goed.

Nu ze eenmaal doorheeft hoe ze doet, gaat ze het meteen veranderen. Debby vroeg of ze zaterdagmiddag mee ging winkelen. 'Ik weet het nog niet,' zei ze. 'Je hoort het morgen.' Eigenlijk wilde ze naar Toine gaan kijken, hij moet basketballen. Maar ze gaat nu toch maar met Debby mee. Toine snapt het heus wel als ze dit vertelt. Hij is zo lief.

Met een gelukzalige blik staat ze onder de douche. Ze hebben het zo fijn samen! Met Toine kan ze ook heerlijk zitten niksen. Dat heeft ze nog nooit met een jongen gekund. Gistermiddag toen ze op zijn kamer zaten, heeft ze zijn hele portemonnee leeggehaald. Dat is echt een tik van haar. Ze vindt het altijd zo interessant wat iemand allemaal in zijn portemonnee heeft. Van elk kaartje, fotootje en briefje wilde ze weten wat het was en Toine lag slap dat ze dat allemaal wilde weten, maar hij vertelde het wel.

Deze zomer gaat hij drie weken kamperen op Terschelling met een stel vrienden. Dat doen ze elk jaar. Hij vroeg of ze ook een paar dagen kwam, maar ze weet nu al dat ze dat nooit van haar ouders mag. Toine is drie jaar ouder dan zij. Gelukkig begrijpt hij dat wel.

Fleur fietst het schoolplein op. Ze hoopte dat Melissa er zou zijn, maar ze ziet haar nog niet. Ze is ook wel erg vroeg. Alleen Kevin crost rond op zijn BMX. Jordi en Debby ziet ze ook nog niet. Een eindje verderop ziet ze een paar meiden van Toines klas staan. Ze kijken naar haar en dan beginnen ze te smoezen. Vooral Bregje mag haar niet, dat heeft ze deze week al eerder gemerkt. Ze kent haar omdat ze in de redactie van de schoolkrant zit. 'Niks van aantrekken,' zei Jordi. 'Ze zijn alleen maar jaloers.'

Als ze met de anderen is kan het haar niet schelen, maar zo in haar eentje voelt ze zich niet prettig. Ze wil ergens anders gaan staan als Melissa aan komt fietsen. Ze komt meteen naar haar toe. Zo kwaad is ze dus nog niet, denkt Fleur.

'Hoi,' zegt ze. 'Hou vanmiddag vrij, ik heb iets gaafs voor ons tweetjes bedacht.' Maar Melissa hoort haar niet eens. 'Goed dat je er al bent,' zegt ze gehaast. 'Ik heb geld nodig. Kun je mij wat lenen?'

Fleur denkt dat Melissa niet heeft ontbeten en iets bij het bakkertje wil halen. Ze kijkt in haar portemonnee. 'Hoeveel heb je nodig?'

'Vijftig euro,' zegt Melissa. 'Je krijgt het terug, hoor.'
'Vijftig euro?' vraagt Fleur verbaasd. 'Dat heb ik helemaal niet. Had ik maar vijftig euro.'
'Je kunt toch wel even voor me pinnen?' vraagt Melissa. 'Dan kom je een paar minuten te laat, *so what*?'
'Wat denk jij nou?' zegt Fleur. 'Zoveel staat er helemaal niet op mijn rekening. En ik heb mijn pas niet eens bij me.'
'Dus je wilt me niks lenen?'
'Als ik het had, kreeg je het wel,' zegt Fleur. 'Maar ik heb het niet.'
'Nou, je wordt bedankt!' zegt Melissa. 'Het is wel meteen duidelijk wie mijn vrienden zijn.' Ze draait zich om en loopt weg.
Fleur is zo verbaasd dat ze niet eens merkt dat Debby naast haar is komen staan. Pas als Debby haar aanstoot, kijkt ze op. 'Kijk daar eens!'
'Eh... wat?'
'Daar!' Debby draait haar hoofd opzij. Nu ziet Fleur het ook. Melissa fietst weg. Naast haar rijdt een jongen. Dat is die Jim, denkt Fleur. Debby loopt de school al in, maar Fleur kijkt haar vriendin na. Ze kan maar niet begrijpen hoe Melissa tegen haar deed. Zo is ze nooit. En dat komt echt niet doordat zij met Toine gaat. Melissa doet zelf heel raar. Ze is zomaar vertrokken, zonder te zeggen waarheen.
Ineens dringt het tot Fleur door hoe vreemd het is. Melissa is alleen maar naar school gekomen om geld van haar te lenen? En wat werd ze kwaad toen ze het niet had; alsof zij daar iets aan kan doen. Daar klopt toch niks van. Waar heeft Melissa vijftig euro voor nodig? Zou Jordi dan toch gelijk hebben? Deugt die Jim echt niet?

Uit Fleurs kamer klinkt een nummer van Gwen Stefani. Er staat geen cd op, maar het is Fleur die het zingt. Ze gaat er zo in op dat ze niet merkt dat Pieter in de deuropening staat. Pas als ze is uitgezongen, kijkt ze op.
'O!' roept ze als ze haar broer ziet. 'Mij een beetje bespioneren, hè?'

Pieter moet lachen. 'Ik wou net de buurman halen, onze musicus.'

'Hou op!' Fleur wil Pieter een klap geven, maar hij pakt haar hand. 'Je zingt echt mooi, zusje. Ik vind het zo zonde dat je er niks mee doet.'

'Wat kan jou dat nou schelen?' zegt Fleur.

'Nou, het lijkt mij wel cool om een beroemde zus te hebben,' zegt Pieter.

'Een zus in een psychiatrische kliniek zul je bedoelen. Wil je dat soms?'

'Je durft het echt niet, hè?' zegt Pieter. 'Weet Toine al hoe mooi je zingt?'

'Nee!' gilt Fleur. 'En dat gaat hem niet aan ook. Je houdt je mond, hoor.'

'Ik zeg niks,' zegt Pieter.

'Help,' zegt Fleur als ze de torenklok hoort slaan. 'Ik moet zo weg en ik moet me nog omkleden.'

'Ga je met je geliefde uit?' vraagt Pieter.

'Nee, we gaan met z'n allen naar de film.'

'O, die wil ik ook nog zien,' zegt Pieter als ze de naam van de film noemt. 'Kan ik niet mee?'

'Nee, alleen ons groepje komt met aanhang. Dan had je je verkering met Debby maar moeten aanhouden.'

'Alsjeblieft niet!' zegt Pieter.

'Of je moet verkering met Melissa nemen.'

'Komt die ook?' vraagt Pieter. 'Jullie hadden toch ruzie over dat geld?'

'Dat is alweer goed,' zegt Fleur. 'Ze heeft me meteen 's avonds een sms'je gestuurd dat het haar speet.' Fleur was er blij mee. En ze heeft ook tegen Jordi gezegd dat hij zich niet zo ongerust moet maken. Het kan best dat die Jim niet deugt, maar Melissa heeft helemaal niet zoveel met hem. Ze zal het haar nog eens vragen als ze haar vanavond ziet. Ze gaat gelukkig mee naar de film. Eigenlijk zegt dat al genoeg. Het is vrijdagavond. Als ze zo verliefd was op die Jim ging ze wel met hem uit. Fleur vindt het fijn dat ze meegaat. Dan is het tenminste weer een beetje zoals vroeger, behalve dat zij nu verkering heeft.

Ze moet opschieten, zo meteen komt ze nog te laat in de bioscoop. Ze doet haar klerenkast open. Wat zal ze aantrekken? Ze haalt haar rode T-shirt eruit en trekt het over haar hoofd. Nee, toch maar niet en ze pakt het zwarte met de print erop. Dat vindt ze ook niks. Het lijkt wel of niks haar vandaag staat. Ze weet dat ze weg moet, maar ze wil er ook een beetje goed uitzien. Wat moet ze nou? Of zal ze dat hemdje aantrekken? Na het schoolfeest heeft ze het niet meer aan gehad. Is het niet een beetje overdreven? Ze probeert het toch. Yes! denkt ze als ze in de spiegel kijkt.

10

Het is dat Fleur zo lang heeft staan tutten, anders was ze eerder in de bioscoop geweest. En dan zou ze net als Jordi zien dat Debby Toine een kus in zijn nek geeft. Maar op dat moment zit Fleur nog op de fiets. Nietsvermoedend komt ze even later tegelijk met Kevin de bioscoop in. Ze smelt meteen als ze Toine ziet.

'Wat zie je er goed uit!' roept Toine verrast. 'Dat truitje ken ik nog van het schoolfeest.'

Dat je dat nog weet, denkt Fleur blij. Ze omhelst hem.

'Jullie gaan deze zomer naar Terschelling, hè?' zegt Kevin.

Toine knikt. 'Met z'n vijven, dat wordt weer feest, man.'

'Zeg maar waar jullie staan, dan kom ik jullie even opzoeken. Ik ga ook.'

'Alleen?' vraagt Toine.

'Nee, met z'n tweetjes,' zegt Kevin.

'Ga je met Jordi?' vraagt Fleur.

'Nee, met m'n BMX,' zegt Kevin.

'Heb je hem weer, die gek,' lacht Fleur.

'Melissa is er nog niet,' zegt Debby. Fleur kijkt verbaasd op. Het is niks voor Melissa om te laat te komen.

'Wat is er met Jordi?' vraagt Toine. 'Heeft hij een afspraakje of zo?'

Nu ziet Fleur het ook. Jordi ijsbeert maar met zijn mobiel aan zijn oor door de hal. Hij wacht op Melissa. Ze denkt zeker dat we naar de tweede voorstelling gaan. 'Zo te zien staat haar telefoon uit,' zegt ze als ze ziet dat Jordi geërgerd zijn mobiel wegstopt.

'Hallo! De film begint!' roept Kevin. Fleur loopt hand in hand met Toine de filmzaal in. Hier heeft ze nou jaren van gedroomd: om met Toine in de bioscoop te zitten. En nu is het zover. Ze vindt het romantisch, zo naast hem in het donker. Toine trekt haar naar zich toe en dan begint hij haar te zoenen. Ze kunnen niet van elkaar afblijven. Fleur ziet bijna niks van de film. Dat wordt nog leuk als Pieter haar vanavond vraagt hoe ze de film vond. In zichzelf moet ze lachen. Wat heb ik een geluk, denkt ze steeds. Ze is Melissa helemaal vergeten.

In de pauze loopt ze met Toine de hal in. Als ze Jordi met een boos gezicht zijn mobiel ziet dichtklappen, denkt ze er weer aan.

'Wat is er?'

'Melissa is naar de Florida,' zegt Jordi.

Daar gelooft Fleur dus niks van. Wat moet Melissa in die drugstent? Als ze samen uitgaan hebben ze het ook weleens over Florida. Ze denken er alle twee hetzelfde over. Daar gaan we dus nooit naartoe. Je draait echt door Jordi, denkt ze. Je haalt je opeens van alles in je hoofd. Het kan ook dat Melissa het heeft gezegd om hem op te fokken. Dan moet hij maar niet zo overbezorgd zijn.

'Hoe weet je dat?' vraagt ze.

'Ik had net haar moeder aan de lijn. Die zei dat ze bij jou logeert.'

'Shit! Maar hoe weet je zo zeker dat ze naar die enge discotheek is?'

'Als Melissa aan het liegen slaat, probeert ze wat te verbergen,' zegt Jordi.

Waar heeft hij het over? Fleur snapt echt niet wat hij bedoelt. 'Melissa? Liegen? Wat verbergt ze?' Fleur ziet dat Jordi moeite heeft het te vertellen. Ze snapt het niet. Wat weet Jordi wat zij niet weet?

'Dat ze blowt en XTC gebruikt,' zegt Jordi.

'Wat... Melissa?' Fleur wordt rood van schrik. Is haar vriendin aan de XTC? Dus daardoor doet ze zo vreemd de laatste tijd. En zij nog denken dat het aan haar lag. Melissa heeft het haar niet durven vertellen, dat vindt ze nog het ergste. Vroeger deelden ze al hun geheimen. Dit mag zij blijkbaar niet weten. Ze snapt wel waarom. Dit zou ze dus nooit hebben gepikt van haar vriendin, dat weet Melissa ook wel.

'Jezus Jordi, wat moeten we doen?'

Jordi wil meteen naar de Florida gaan, maar dat vindt Fleur

zinloos. Zij wil heus ook wel wat voor haar vriendin doen, maar ze komen daar niet eens binnen. Je moet achttien zijn. Jordi is de eerste die iets bedenkt. 'Toine is achttien!'

Kevin schrikt ook heel erg als hij het hoort en Debby reageert heel fel. Ze laat Melissa in één klap vallen. Echt Debby, denkt Fleur. Zo is ze nou eenmaal. Maar Jordi pikt het niet. Ze krijgen nog ruzie ook, alsof Melissa daar iets mee opschiet.

Fleur is nog steeds geschokt. Ze denkt maar aan haar vriendin die XTC slikt. Haar vriendin, die enge pilletjes! Hoe lang doet ze dat al en waarom? Zou die Jim haar hebben overgehaald? Stel je voor dat ze ermee doorgaat en het wordt steeds erger, dan verliest ze Melissa nog aan die stomme drugs. Fleur hoort Debby en Jordi maar tegen elkaar schreeuwen. Ze kan er niet meer tegen. 'Hou op!' roept ze.

Fleur wist het wel. Toine is echt een schatje, hij wil wel met hen mee. Hij is achttien, hij mag wel naar binnen. Toine wil wel eerst de film af zien. Fleur moet wel lachen, alsof ze ook maar een seconde hebben gekeken. Maar ze vindt dat hij gelijk heeft, want ze kunnen nu toch niks voor Melissa doen. De Florida is nog lang niet open. Fleur denkt maar aan Melissa, tot ze weer naast Toine in het donker zit en hij iets in haar oor fluistert.

'*I love you too*,' fluistert ze.

Fleur had niet gedacht dat ze over zo'n enge weg moesten fietsen. Ze gaan midden door het bos. Ze heeft het gevoel alsof er elk moment een of andere engerd uit het donker te voorschijn kan komen.

'Wat een *spooky* weg is dit.' Ze zegt het zo nonchalant mogelijk, maar vanbinnen griezelt ze. Toine vertelt nog een eng verhaal ook. Het schijnt dat hier een paar weken geleden een jongen van zijn fiets is gesleurd en in elkaar is geslagen. Gadverdamme, dat had ze net nog even nodig.

'En de daders?' vraagt ze. 'Hebben ze die opgepakt?'

'Nee,' zegt Toine. Dus ze kunnen zo weer toeslaan, denkt ze.

Als ze dit had geweten was ze echt niet gegaan. Ze heeft echt wel wat voor haar vriendin over, maar dit niet. En misschien is ze er niet eens. Ze probeert zich rustig te houden met de gedachte dat ze niet alleen is, maar het helpt niet echt. Wat kunnen die jongens nou beginnen als er een stelletje criminelen voor ze staat? Ze zegt er maar niks over, anders voelt ze zich zo'n tutje. Van angst knijpt ze keihard in het stuur. Haar handen zijn helemaal verkrampt.

Ze is dolblij als ze er eindelijk zijn. Maar wat is het toch een rottent! De portier fouilleert een groepje jongens en niet voor niks. Hij haalt toch mooi een mes uit de zak van een van die gasten. Hier zou ze zelf dus nooit naar binnen gaan. Pieter is er weleens geweest met zijn vrienden, maar die vond het ook drie keer niks. Ze snapt het niet van Melissa. Hoe kan ze ineens zo veranderd zijn? Dat komt door die clip. Was ze maar nooit naar die auditie gegaan. Nou en? Dan komt ze in een clip, maar wat heb je daar nou aan als er niks meer van je over is. Jordi vertelde onderweg dat Melissa slikt uit onzekerheid. Ze durft niet te dansen zonder dat spul. Net als zij, ze durft niet voor iedereen te zingen, maar daar zou ze dus nooit XTC voor gaan gebruiken. Dan maar geen zangeres worden. Raar is dat toch. Elke keer als ze eraan denkt dat ze geen zangeres kan worden, voelt ze een steek in haar hart.

Het is nog een heel gedoe om de Florida in te komen. Zonder Toine was het echt nooit gelukt. Hoe hij die portier weet te bewerken! Fleur is echt supertrots op hem. Hij liet de portier naar de DJ bellen, die schijnt hij te kennen. Het is een vriend van zijn broer. Eerst dacht Fleur nog dat hij het verzon, maar zodra ze binnen zijn gaat Toine naar boven om hem gedag te zeggen. Fleur ziet ze samen praten, dus het klopt echt. Ze kijkt de discotheek rond. Jordi ziet ze al niet meer, die is meteen Melissa gaan zoeken.

Is dat soms Melissa? Fleur ziet een meisje dansen. Ja hoor, het is d'r, ze danst met die Jim. Ze danst wel heel goed, iedereen staat om hen heen. Dat dat haar vriendin is. Ze ziet er heel anders uit.

Fleur kan het niet geloven. Zo vrij als ze daar danst, dat durfde ze niet eens op het schoolfeest. Maar haar ogen en haar gezicht... Het lijkt wel of ze uit een heel andere wereld komt. Zo ziet ze er dus uit als ze heeft gebruikt. Fleur vindt het best eng. Dat het kan, dat je zo kan veranderen door zo'n pil. Ze is wel verliefd op die Jim. Moet je zien hoe dweperig ze naar hem kijkt!

Ze moet Jordi waarschuwen dat ze Melissa heeft gevonden. Maar waar is hij? Ah, ze ziet hem. Ze wil hem roepen, maar dat hoort hij nooit. Hij heeft Melissa vast al gezien, want hij gaat haar kant op. Of ziet hij haar nu pas? Fleur kijkt naar Jordi en voor het eerst ziet ze hoe hij naar Melissa kijkt. Ineens weet ze waarom hij zo bezorgd om haar is. Je bent verliefd op Melissa, denkt ze. Wat rot voor je! Nou zie je haar met die Jim. En het wordt nog erger, want ze beginnen te schuifelen. Als Jim Melissa kust, kijkt Fleur bezorgd naar Jordi. Hij raakt helemaal in paniek. Ze wil naar hem toegaan, maar hij draait zich om en loopt weg.

'Jordi!' roept Fleur, maar haar stem komt niet boven de muziek uit. Terwijl Jordi tussen de dansers door naar buiten loopt, gebaart Fleur naar Toine dat hij moet komen. Blijkbaar heeft Toine het gezien want hij rent naar beneden.

'Jordi!' Fleur holt naar buiten en dan ziet ze Jordi wegrijden. Ze wil achter hem aan gaan, maar Toine houdt haar tegen. 'Laat hem maar. Je kan hem toch niet helpen. Die voelt zich klote. Het is toch ook *fucking* hard. Hij is hartstikke verliefd op Melissa en dan zoent ze met die Jim.'

'Hoe weet jij dat Jordi verliefd op haar is?'

'Hallo schatje,' lacht Toine. 'Je zag toch wel hoe hij door die bioscoop liep? En maar bellen. Dat doe je alleen maar als je smoorverliefd bent, toch?'

'Wat erg, hè?' zegt Fleur. 'Weet je dat ik het net pas door had?'

'Daarom vind ik je nou zo lief,' zegt Toine en hij geeft haar een kus.

'Kom op,' zegt Fleur. 'We moeten Melissa hier weg krijgen.'

'Weg krijgen?' vraagt Toine als ze binnen zijn. 'Moet je haar zien.' Fleur knikt. Het ziet er echt innig uit tussen die twee.

'Het heeft geen zin, Fleur,' zegt Toine. 'Je kan wel naar haar toe gaan, maar ik geef je geen enkele kans. Je krijgt alleen maar ruzie. Ze is niet aanspreekbaar. Je maakt jezelf alleen maar verdrietig. Ik snap hoe rot het is, het is je vriendin, maar daar kun je nu niks aan doen. Misschien morgen, als die rotzooi is uitgewerkt.'

Fleur knikt. 'Ik kan beter een andere keer met haar praten.'

'Dat lijkt mij dus ook,' zegt Toine. 'Wil je naar huis of zullen we even dansen?' Fleur ziet aan Toine dat hij er zin in heeft.

'Goed dan,' zegt ze. 'Maar niet hier. Ik hoef mijn vriendin niet zo te zien. Toine neemt haar mee naar de andere kant van de disco en dan beginnen ze te dansen. Wat danst Toine goed! Alle meiden kijken naar hem.

'Hé hunk!' roept er een. 'Een biertje van me?'

Even wordt Fleur onzeker, maar dan ziet ze dat Toine alleen maar oog voor haar heeft. Je bent ook een hunk, denkt ze, maar wel mooi mijn hunk.

Fleur rijdt op haar fiets door de stad. Ze heeft met Debby afgesproken te gaan winkelen. Ze hoopt niet dat Debby over Melissa begint, want in die vervelende praatjes heeft ze nu geen zin. Het heeft haar echt wel geraakt haar vriendin zo te zien. Toen ze gisteravond laat thuiskwam heeft ze nog heel lang met Pieter gepraat, ze kon echt niet slapen. Arme Jordi, ze wilde hem nog bellen, maar zijn mobiel staat uit. Toine heeft gelijk, ze kan niks voor hem doen. Liefdesverdriet doet nou eenmaal pijn.

'Je had hem niet mee moeten nemen naar die Florida,' zei Pieter. 'Wie doet dat nou ook?'

Kan zij er wat aan doen? Ze wist toch niet dat hij verliefd was, anders was ze wel alleen met Toine gegaan. Nu ze het weet, snapt ze ook veel meer van zijn houding. Hij was zo kwaad op Jim, meteen al, en toen wist hij nog helemaal niet dat Melissa slikte. Ze denkt aan die keer dat Jim aan de overkant van het schoolplein op Melissa stond te wachten. Zij vroeg nog aan Jordi of het Melissa's nieuwe vlam was. Toen keek hij al zo chagrijnig. Nou ja, lekker naïef dus. Ze heeft het de laatste tijd ook allemaal niet zo goed in de gaten. Wat dat betreft heeft Pieter wel gelijk: ze zit alleen met haar gedachten bij Toine. Als ze nu weer aan hem denkt, wordt ze meteen blij. Net kreeg ze nog een sms'je: I LOVE YOU. Hij is nu aan het basketballen. Toine speelt super, net als Jordi, die is er ook zo goed in. Die twee moet je niet samen in één team stoppen, want dan maak je niks meer klaar. Jordi is nu in de wasstraat. Ze was van plan bij hem langs te gaan voor het winkelen, maar ze heeft haast dus ze belt hem vanavond wel. Even dacht ze nog Debby mee te nemen, maar Jordi ziet hen al aankomen. Als hij nu aan een iemand geen behoefte heeft, is het Debby wel.

Een kwartiertje later loopt Fleur met Debby een kledingzaak in. De muziek staat keihard. Fleur zingt mee.

'Tjonge, wat zing jij vals,' zegt Debby.

Anders zou Fleur meteen haar mond houden, maar nu maakt het haar niks uit en ze zingt gewoon door. 'Het is zo te gek tussen Toine en mij!' zegt ze stralend.

'Weet je dat wel zeker?' vraagt Debby.

'Hoezo?' vraagt Fleur.

'Ik weet niet of ik het wel moet vertellen,' zegt Debby.

Nu wordt Fleur onzeker. 'Vertel dan?'

'Het gaat over Toine,' zegt Debby. 'Je weet zeker dat je het wilt weten?'

'Ja, natuurlijk wil ik het weten,' zegt Fleur.

'Goed dan,' zegt Debby. 'Gisteravond in de bioscoop, voordat jij er was, zat hij te flirten met mij. Ik zei dat ik dat niet wou, omdat hij met jou gaat, maar hij ging er gewoon mee door. Hij zei dat hij me al heel lang leuk vond en probeerde me te zoenen. Pas toen Jordi binnenkwam liet hij me los.'

Alle kleur trekt uit Fleurs gezicht weg. 'Is dat echt waar?' vraagt ze.

'Vraag maar aan Jordi, hij heeft ons gezien.'

Fleurs wereld stort in. En ze dacht nog wel dat het zo'n goeie avond was. Wat een *loser*! En daarna weer met haar zoenen. Vannacht hebben ze nog een hele tijd staan zoenen bij haar voor de deur. Wat denkt hij wel, met z'n sms'je: I LOVE YOU. Maar dit pikt ze niet. Als hij zo is, kan hij opdonderen.

'Je begrijpt hoe ik me voelde,' zegt Debby. 'Jij bent mijn vriendin.'

Fleurs ogen staan vol tranen.

'Misschien had ik het je ook niet moeten vertellen,' zegt Debby.

'Natuurlijk wel.' Fleur veegt een traan weg. 'Het is juist goed dat je het hebt verteld. Sorry,' zegt ze. 'Ik heb geen zin meer om te winkelen. Ik denk dat ik maar naar huis ga.'

Als ze op de fiets zit stromen de tranen over haar wangen. Het is ook zo erg! Toine heeft Debby proberen te zoenen. Dat flikt hij gewoon als zij er niet bij is. De jongen waar ze zo verliefd op is, heeft haar bedrogen. Ze heeft het gevoel dat ze moet kotsen. Totaal overstuur rent ze thuis de trap op. Ze wil niemand zien. Op haar kamer laat ze zich op haar bed vallen. 'Het is zo gemeen...' snikt ze. 'Ik vind het zo gemeen...' Ze dacht dat Toine om haar gaf, maar hij heeft gewoon met haar gevoel gespeeld. Hij doet alleen maar lief, maar in het echt is hij een vette *player.* Ze haalt zijn pasfoto onder haar kussen vandaan. Die kan hij terugkrijgen. En al die sms'jes waar ze zo blij van werd. Het is allemaal gelogen.

Zodra ze weer wat rustiger is, pakt ze haar mobiel en delete haar hele inbox. Maar het helpt niet, ze blijft verdrietig. Hoe moet ze nou verder? Ze wil hem nooit meer zien. Het liefst gaat ze meteen van school.

Pieter schrikt als hij haar kamer in komt en haar rode ogen ziet. 'Wat is er met jou?'

'Het is uit,' huilt Fleur.

'Zo te zien heeft Toine het uitgemaakt.'

'Nee,' snikt Fleur. 'Ik moet het nog uitmaken.' En ze vertelt wat ze van Debby heeft gehoord. 'En het is waar,' zegt ze, 'want Jordi was erbij, dat zei Debby.'

'*Sucker*!' Pieter is kwaad. Hij kan er nooit tegen als iemand zijn zus verdrietig maakt. 'Meteen kappen met die gast. Vertel hem maar dat het uit is.'

'Zo zeker?' snikt Fleur. 'Hij is aan het basketballen. Ik ga echt niet zo naar het veld.'

'Ik zou het zo snel mogelijk zeggen,' zegt Pieter. 'Ik breng je wel even.'

'Maar wat moet ik dan zeggen?' Fleur weet echt niks meer.

'Dat het uit is,' zegt Pieter. 'Meer niet. Ga nog een beetje met hem in discussie ook. *Fuck* op met die gast.'

'Is dat niet gek?' vraagt Fleur. 'Hij wil vast weten waarom ik het uitmaak.'

'Dat kan hij zelf wel bedenken,' zegt Pieter. 'Heb nog medelijden met hem ook, nou goed? Weet je wel wat hij heeft gedaan? Hij heeft Debby versierd. Je vriendin. Eigenlijk moet je hem alleen maar sms'en. *Loser*, het is uit.

'Nee,' zegt Fleur. 'Dat doe ik niet.'

'Kom mee dan!' Pieter gaat vast naar beneden. Fleur merkt wel dat haar broer woedend is. Als hij zich er maar niet mee bemoeit.

Ze houdt haar gezicht onder de kraan. Daarna kijkt ze in de spiegel. Zo kan het wel, denkt ze. Een paar minuten later zit ze achterop bij Pieter. De hele weg denkt ze aan Toine. Wat erg, als ze straks terugrijden is het uit. Moet ze het wel doen? Moet ze hem niet eerst vragen waarom hij dat heeft gedaan? Maar tegelijk bedenkt ze dat het onzin is. Hij heeft Debby proberen te zoenen. Het is wel duidelijk waarom. Blijkbaar vindt hij Debby leuker dan haar. Dat zei Debby ook.

Fleur schrikt als Pieter stopt. Zijn ze er nu al?

'Daar staat die *sucker*,' zegt Pieter. 'En geen discussie, hè? Je krijgt toch alleen maar leugens te horen. Alleen zeggen dat het uit is.'

Fleur knikt. Ze bijt op haar lip. Nu moet ze heel sterk zijn. Ze schrikt als ze Toine ziet staan. Waarom is hij ook zo mooi? Het liefst zou ze zo in zijn armen vallen. Maar dan bedenkt ze gauw wat hij bij Debby heeft geprobeerd.

Toine kijkt verast op. 'Je bent toch gekomen,' zegt hij blij.

Fleur knikt. Zeg het dan, zegt ze tegen zichzelf. Wat is het moeilijk. Hij ziet er zo lief uit! Ze haalt diep adem. 'Ik kom alleen zeggen dat het uit is.'

'Wat?' Toine wordt spierwit. 'Dat meen je niet.' Hij kijkt er zo verdrietig bij. Ze is blij dat Pieter op haar wacht, anders zou ze hem zo vergeven. Ze weet hoe dom dat zou zijn. Ze wil toch niet steeds bedrogen worden?

'Ik meen het,' zegt ze.

Toine kijkt haar aan. Hij steekt zijn arm naar haar uit.

'Nee, niet doen!' Fleur draait zich om en rent weg.

'Fleur!' Toine komt haar achterna. Maar Fleur springt al achterop bij Pieter. 'Fleur!' roept Toine wanhopig.

Niet kijken! Fleur knijpt haar ogen stijf dicht.

'Pieter, wacht!' hoort ze Toine roepen. Maar Pieter steekt zijn middelvinger naar hem op en rijdt weg.

Fleur heeft de hele nacht gehuild. Ze vindt het zo erg wat er is gebeurd. Dit had ze nooit van Toine gedacht. Hoe vaak heeft hij niet gezegd dat hij nog nooit zo verliefd was geweest en zij geloofde hem. Hoe moet ze ooit nog een jongen vertrouwen? Gisteravond heeft ze Melissa nog een sms'je gestuurd en vanochtend heeft ze haar wel tien keer gebeld, maar haar telefoon staat uit. Gelukkig is thuis iedereen heel lief voor haar. Van Pieter mag ze mee als hij met zijn vrienden gaat surfen. Dat mag nooit. Eigenlijk heeft ze geen zin. Ze heeft nergens zin in. 'Je moet je verzetten,' zegt haar moeder. 'Ga nou maar mee, dan heb je tenminste wat afleiding. Je kan hier toch ook niet de hele dag lopen huilen.'

Misschien heeft ze wel gelijk, denkt Fleur, en gaat alsnog mee. Achteraf is ze haar moeder dankbaar. Als ze aan het eind van de middag thuiskomt voelt ze zich toch iets beter. Toine heeft haar een paar keer proberen te bellen, maar ze heeft hem steeds weggedrukt.

Als ze op haar kamer zit sms't ze Jordi. HET IS UIT MET TOINE. Jordi belt haar meteen terug. Ze snapt niet waarom hij zo verbaasd is. 'Je hebt 'm toch ook met Debby zien flikflooien?'

Het blijft even stil, en dan komt er een vaag antwoord. Het is dus zo, denkt ze, anders reageerde je wel anders. 'Je bent de eerste die weet dat het uit is,' zegt Fleur. 'Ik wilde het Melissa vertellen, maar haar mobiel staat steeds uit.'

'Klopt,' zegt Jordi. 'Haar kan je niet bellen. D'r pa zal d'r mobiel wel weer hebben ingenomen. Ze heeft huisarrest.'

'Die ouders zijn ook gek, hè. Waarom nu weer?'

'Nou, dit keer snap ik het wel,' zegt Jordi. 'Ze is vannacht opgepakt door de politie met een voorraad XTC in haar rugtas.'

'Wat...?' Fleur is haar eigen probleem meteen vergeten. 'Hoe komt ze daar aan?'

'Waarschijnlijk heeft een of andere klootzak haar erin geluisd,' zegt Jordi. 'Fijn, hè? Ja, het gaat echt goed met haar sinds ze die Jim kent.'

'Denk je dat hij het gedaan heeft?' vraagt Fleur.

Jordi geeft geen antwoord.

'Jeetje,' zegt Fleur. 'Dus ik kan ook niet naar haar toe?'

'We kunnen niks,' zegt Jordi. 'We zien haar morgen wel op school.'

Wat een shit allemaal, denkt Fleur als ze ophangt. Een maand geleden was alles nog rustig. Toen was Melissa ook nog anders. En zij? Toen droomde ze nog van Toine. Nou, die droom is dus een vette nachtmerrie geworden.

Weer gaat haar mobiel. Fleur denkt dat het Toine is en wil hem wegdrukken, maar het is Debby.

'Wat denk je?' zegt Debby. 'Staat hij zomaar bij mij voor de deur.'

'Wie?'

'Toine natuurlijk. Hij wil verkering met me. Ik heb hem natuurlijk meteen verteld dat ik dat niet doe. Je bent mijn vriendin. Het was wel een superraar gesprek, hoor. "Ben je soms bang dat Fleur kwaad wordt?" vroeg hij. Ja erg is hij, hè?'

'Wat zei je?' vraagt Fleur.

'Dat weet ik niet eens meer,' zegt Debby. 'Maar hij gaat jou morgen opwachten.'

'Zeker om te zeggen dat het hem spijt. Nou, daar zit ik niet op te wachten.'

'Nee, hij wil niet dat jij boos wordt als hij verkering met mij heeft. Dat wil hij zeggen.'

Fleur verschiet van kleur. Wat een *loser*! Het is allemaal nog veel gemener dan ze dacht.

'Maak je maar niet druk,' zegt Debby. 'Ik wil hem toch niet.'

Maar Fleur maakt zich wel druk. Ze kookt van woede.

'Weet je wat hij nog meer zei?' zegt Debby. 'Ja, het is erg hoor. Hij heeft alleen maar verkering met jou genomen om bij mij in de buurt te komen. Hoe vind je dat nou? Ik was er al bang voor. Daarom heb ik je toen ook gewaarschuwd, maar Melissa wist het zogenaamd zo goed. Maar ja, nu is het tenminste uit. Dus als hij je morgen opwacht, dan weet je wat hij wil vragen.'

Fleur voelt zich zo vernederd door Toine. Hoe durft hij? Hij heeft haar dus echt gebruikt. Ze pakt zijn pasfoto van haar bureau en scheurt hem in stukken.

11

Fleur heeft het gevoel alsof haar hele leven in puin ligt. Al haar fantasieën over Toine zijn met geweld beëindigd. En haar beste vriendin is opgepakt met XTC. Ze heeft Melissa het hele weekend niet kunnen spreken omdat ze straf heeft.

Met tegenzin fietst ze maandagochtend naar school. Zou het waar zijn wat Debby heeft voorspeld? Zou Toine haar echt opwachten?

Volgens Pieter was het onzin. 'Welke jongen doet dat nou?' zei hij. 'Debby heeft je opgefokt.' Maar als ze onder het viaduct uitkomt, ziet ze Toine staan. Dus toch! Hoe durft hij? denkt ze.

'Fleur!' Toine ziet haar aankomen en rijdt naar haar toe. 'Ik wil met je praten, alsjeblieft...'

'O ja? Fijn voor je, maar ik niet met jou.' En Fleur rijdt keihard door. Hij mag me niet volgen, denkt Fleur en ze slaat rechtsaf en dan weer linksaf. Ergens in een steegje stopt ze en dan moet ze huilen. Hoe kan het dat Toine zo gemeen is? Ze wil hem nooit meer zien. Helemaal nooit meer. Even denkt ze erover terug naar huis te gaan, maar wat dan? Ze kan toch niet thuis blijven zitten tot ze Toine is vergeten? Weer ziet ze voor zich hoe hij daar stond. Zijn lieve ogen, zijn gezicht... Misschien vergeet ze hem wel nooit meer.

Fleur heeft zich nog nooit zo eenzaam gevoeld als de laatste dagen. Met Melissa heeft ze zowat geen contact. Vroeger fietsten ze samen naar huis, maar Melissa's vader haalt en brengt zijn dochter nu. Ze kan haar ook niet bellen, want Melissa's vader heeft haar mobiel ingepikt.

In de pauze wil Fleur naar haar toe, maar Melissa loopt maar met Jordi's mobiel aan d'r oor. Het is net of zij niet meer bestaat. En dat terwijl Fleur haar nu juist zo hard nodig heeft.

Debby maakt haar verdriet alleen maar erger. Die hangt voortdurend om Toine heen. Het doet haar zo'n pijn als ze hen ziet. Meestal draait ze zich snel om en dan loopt ze weg.

Gelukkig heeft ze aan Pieter wel steun. 'Het is over Fleur,' zegt hij elke keer als ze bij hem uithuilt. 'Het is uit met Toine, dat moet je accepteren. Wat kan het jou schelen wat die *loser* doet. Dan gaat hij toch met Debby, veel plezier.'

'Ik mag toch wel verdrietig zijn?' zegt Fleur.

'Ja, maar niet te lang. Je weet niks meer, alleen hoe vaak Debby op een dag naast Toine staat.'

'Wat moet ik dan?' zegt Fleur. 'Aan Jordi heb ik ook niks, die heeft het alleen maar over Melissa.'

'Vind je het gek?' zegt Pieter. 'Melissa is een paar dagen geleden opgepakt met XTC. Weet je wel wat dat betekent?'

Ineens dringt het tot Fleur door dat Jordi zich niet voor niks zorgen maakt. Haar vriendin is in gevaar. Als Melissa de volgende dag weer op school sms't, grijpt ze meteen in.

'Wat sms't ze nou de hele tijd naar die Jim?' vraagt ze aan Jordi.

'Dat check ik niet,' zegt Jordi.

'Geef eens hier!' Fleur moet het weten en ze maakt het laatste bericht open. WAAROM NEGEER JE ME? IK DACHT DAT WIJ SAMEN IETS HADDEN staat er. Het zit helemaal niet goed met die twee, denkt Fleur. Ze wil naar Melissa toe gaan, maar dan ziet ze Jim aan de overkant staan. Melissa rent naar hem toe. Het is duidelijk dat ze ruzie hebben. Fleur hoort Melissa tegen Jim schreeuwen en daarna geeft ze hem zelfs een klap.

In de pauze loopt Fleur de aula in en ziet Kevin en Jordi staan. 'Wat is er met jullie?' vraagt ze.

'Je zult het niet geloven,' zegt Jordi.

'Wat?'

Jordi kijkt of niemand hen kan horen. 'Kevin werd toch net bij Van Tongeren geroepen?' zegt hij zachtjes.

'Ja,' zegt Fleur. 'Zuurbier zal wel hebben geklaagd.' Ze hadden hun Duitse lerares in de maling genomen.

'Zuurbier had er niks mee te maken,' zegt Kevin. 'Toen de conciërge onder Duits door de gang liep, zag hij dat Melissa mijn portemonnee uit mijn zak haalde.'

'Doe normaal!' zegt Fleur.

'Ze was toch de les uit gestuurd,' fluistert Kevin. 'Nou, toen heeft ze het gedaan. Er zat honderd euro in mijn portemonnee.'

Fleur schrikt al net zo erg als Jordi en Kevin. Dat is niks voor Melissa. Waar is haar vriendin in verzeild geraakt? Het is helemaal mis met haar. En ik heb het maar laten gaan, denkt Fleur. Ik dacht alleen maar aan Toine. Misschien durfde ze het ook wel niet toe te laten. Maar nu is er geen weg meer terug.

Fleur heeft er alles voor over om haar vriendin te helpen. Ze gaat zelfs 's avonds mee met Jordi naar de Van Hogendorpstraat. Fleur vindt het best eng, maar ze is het met Jordi eens. Hoe komen ze er anders achter of Jim een dealer is? Zonder bewijs kunnen ze niks beginnen.

'Zie je die scooter?' Jordi wijst de Van Hogendorpstraat in. 'Daar woont die klootzak. Het licht brandt, hij is dus thuis. Balen! We zullen moeten wachten tot-ie weggaat.'

'We kunnen hier toch niet de hele nacht blijven staan?' zegt Fleur. 'We geven hem een uur, goed? En dan gaan we terug.'

Jordi knikt. 'Morgen weer een nieuwe kans.'

Ze zetten hun fiets neer en lopen in de richting van Jims huis. Jordi wijst naar een portiek schuin aan de overkant. 'Daar kunnen we de voordeur goed in de gaten houden.'

Ze kijken maar naar de voordeur, maar Jim komt niet naar buiten.

'Hoe laat is het?' vraagt Fleur.

'Er is pas een half uur voorbij,' zegt Jordi.

'Kunnen we niet beter weggaan,' zegt Fleur. 'Dit wordt niks. Die gast zit gewoon te blowen daarboven.'

Ze heeft het nog niet gezegd of het licht aan de overkant gaat uit. Fleur knijpt in Jordi's hand. Vol spanning kijken ze naar de voordeur die opengaat.

'Daar is-ie!' fluistert Jordi als Jim naar buiten komt.

'Hoe doen we het?' vraagt Fleur.

'Ik probeer naar binnen te gaan,' zegt Jordi, 'en jij blijft op de uitkijk staan.' Hij laat een ijzerdraadje zien dat hij heeft meegenomen. 'Als er iets is, bel je me.'

Zodra Jim de hoek om is, steekt Jordi de straat over. Hij duwt het ijzerdraadje door de brievenbus. Fleur ziet dat hij het heen en weer beweegt en dan gaat de deur open. Als dat maar goed gaat, denkt Fleur als Jordi naar binnen gaat. Vol spanning tuurt ze de straat in. Ze houdt haar mobiel in de aanslag. Als Jim eraan komt moet ze meteen kunnen bellen.

Waar blijf je nou? denkt Fleur na een tijdje. Dit duurt te lang. Zo meteen komt hij eraan. Ze wil Jordi zeggen dat hij naar buiten moet komen als er iemand de hoek om komt met een zak patat in zijn hand. Is dat Jim? Fleur wacht tot hij iets dichterbij is en dan weet ze het zeker. Het is 'm! In paniek drukt ze Jordi's nummer in. Schiet op! denkt ze. Waarom duurt dat zo lang? Jim is al bij de deur als Jordi opneemt. 'Hij komt eraan!' zegt ze. Maar tegelijk ziet ze dat Jim zijn sleutels uit zijn zak haalt. 'Hij is al naar boven!'

Waar blijft Jordi nou toch? denkt Fleur. Hij had allang terug moeten zijn. Ze kijkt angstig naar boven. Het licht brandt, dus Jim is er. Zou hij Jordi betrapt hebben? Misschien bedreigt hij hem wel met een mes. Ze kan hier toch niet gewoon blijven staan terwijl haar vriend wordt mishandeld. Zal ze hulp halen? Ze tuurt de straat in. Een eindje verderop loopt een dame van het Leger des Heils met een collectebus. Fleur bedenkt zich geen seconde. De heilsoldate moet hen redden... Ze rent ernaartoe.

'Mevrouw,' zegt ze, 'u helpt toch altijd mensen? Wilt u mij nu helpen?'

De heilsoldate ziet de paniek in Fleurs ogen. 'Wat kan ik voor je doen, meisje?'

'U hoeft verder niks te doen,' zegt Fleur. 'Ik wil alleen uw jas en uw collectebus even lenen. Alstublieft, mag het?'

De heilsoldate ziet aan Fleur dat het menens is.

'Mevrouw, alstublieft... U kunt iemand redden.' Ze moet bijna huilen.

'Nou, vooruit,' zegt de heilsoldate. 'Als het niet te lang duurt.'

Fleur rent met de jas aan en de collectebus in haar hand naar Jims huis terug en belt aan. Alsjeblieft, doe open, denkt ze.

Gelukkig! De deur wordt geopend. 'Heeft u wat over voor de afkickkliniek voor drugsverslaafden?' roept ze naar boven.

'Drugsverslaafden? Collecteren jullie daar ook al voor?' antwoordt Jim.

'In principe collecteren wij voor alle kansarmen van onze samenleving,' zegt Fleur.

Fleur kan wel juichen als Jim naar beneden komt. Nu kan Jordi vluchten.

'Ben je niet wat jong voor een heilsoldaat?' vraagt Jim.

'Ik weet niet beter,' zegt Fleur. 'Mijn ouders zijn het ook.'

'Bof jij even.' Jim gooit wat muntjes in de collectebus en gaat weer naar boven.

'Twijfel niet, God is er!' roept Fleur hem na.

'Wat jij wilt,' zegt Jim.

Terwijl Fleur de collectebus en de jas aan de heilsoldaat geeft, komt Jordi naar buiten.

'Dank u wel, u heeft ons gered,' zegt Fleur tegen de heilsoldaat.

'Jij bent briljant,' zegt Jordi als de heilsoldaat doorloopt.

'Jaja,' zegt Fleur lachend.

'Twijfel niet, je bent het,' zegt Jordi.

'Heb je nog wat kunnen vinden?' vraagt Fleur.

'Nee,' zegt Jordi.

'Misschien is hij dan toch geen dealer,' zegt Fleur.

'Twijfel niet, hij is het,' zegt Jordi.

Op de terugweg denkt Fleur aan Toine. Toen het net uit was voelde ze alleen woede. Eigenlijk was dat een stuk makkelijker, want nu is de woede weg en mist ze hem. Ze weet dat de schoolband vanavond repeteert. Ineens krijgt ze een onbedwingbare drang om Toine te zien en die drang wordt steeds groter. Ze probeert zichzelf nog op andere gedachten te brengen, maar het gaat niet. Als ze vlak bij school zijn zegt ze gauw dat ze nog even langs haar tante moet en slaat rechtsaf.

Pas als Fleur zich op school in de aula achter een scherm heeft verstopt, beseft ze wat ze heeft gedaan. Ze is zo de repetitie binnengeslopen, alleen maar omdat ze naar Toine verlangde. Dat is toch totale gekte, het is uit! Wat moet ze hier nog? Zeker zien hoe fijn Toine en Debby het hebben. Debby zit vlak voor de band. Fleur wordt er alleen maar eenzamer van. Ze hoort Toine drummen, zijn spel waar ze zo trots op was. Maar hij drumt niet meer voor haar, nu drumt hij voor Debby. Fleur houdt het bijna niet uit. Misschien komt het doordat ze zich zo opwindt over Debby, die met een stralend gezicht naar Toine kijkt. Maar ineens valt het scherm om! En nog geen seconde later staat ze daar en kan iedereen haar zien.

'Fleur!' roept Debby. 'Fleur kan goed zingen.'

Wat zegt Debby nou? Fleur had nooit gedacht dat ze zo vals was. Debby denkt dat ik heel vals zing. Ze herinnert zich nog heel goed dat Debby erbij was toen Pieter dat tegen de buurman zei. En nu vraag je me om op het podium te komen? Daar is maar één verklaring voor, denkt Fleur. Je wilt dat ik voor paal sta. Iedereen begint te roepen dat ze op het podium moet springen. Debby nog het hardst. Fleur kijkt naar Toine. Hij kijkt heel lief naar haar.

'Je hoeft het niet te doen,' zegt hij, maar Debby duwt de microfoon in haar handen. Je wil dat ik afga, denkt Fleur.

Er komt een enorme kracht in haar bovendrijven. Het is net of alle angst verdwijnt. De band zet een nummer van Gwen Stefani in. Een van haar lievelingsnummers. Fleur ziet het valse lachje om Debby's mond. Je wil dat ik afga voor Toine, maar dat mocht je willen, denkt ze en ze begint te zingen. Fleur vergeet haar angst en ze zingt op haar allermooist. Iedereen is onder de indruk van haar prachtige stem, alleen Debby verbijt zich. En terwijl ze kwaad de andere kant op kijkt, kan Fleur wel juichen. Ik heb het gedaan! denkt ze. Ik heb gedaan wat ik nooit durfde. Ik heb voor jullie gezongen.

Fleur ligt languit op haar bed in haar kamer. Ze staart met een gelukkig gezicht naar het plafond. Er zijn zoveel mooie dingen om aan te denken. Ze heeft zichzelf overtroffen in de aula. Misschien kan ze nu toch zangeres worden. Weer ziet ze voor zich hoe Toine naar haar keek toen ze zong. Ze neuriet met haar ogen dicht het nummer van die avond als haar mobiel gaat. Het is Jordi. Nou, ze heeft heel wat te vertellen, ook over Debby. Ze weet nu al hoe hij reageert.

'Hi!' roept ze vrolijk. 'Jij weet niet...'

'Melissa is weg!' onderbreekt Jordi haar.

Fleur schiet verschrikt overeind. 'Wat zeg je nou?'

'Ik hoorde het van haar vader,' zegt Jordi. 'Ze waren in het ziekenhuis bij haar oma en opeens was ze weg.'

'Is ze echt weg?' Fleur kan het niet geloven.

'Ja,' zegt Jordi. 'Die klootzak heeft haar ontvoerd.'

'Wie zegt dat?'

'Ik,' zegt Jordi. 'Ik ben met Melissa's vader naar zijn huis geweest. Wat denk je? Hij is vertrokken. Nou, dan weet ik genoeg.'

'Weet de politie het al?' vraagt Fleur.

'Ja,' zegt Jordi. 'Maar die doen geen zak. We zullen haar zelf moeten zoeken.'

Ook op school slaat het bericht in als een bom. Iedereen in de klas maakt zich zorgen om Melissa. Tijdens de tekenles hebben ze met de hele klas affiches gemaakt. Posters met daarop XTC-pillen en andere drugs hangen door de hele school. Alle informatie die er over drugs te krijgen is, ligt uitgespreid op de tafel in de hal. Meneer Van Tongeren heeft deze week nog alle ouders van de klas bij elkaar geroepen. Sommigen zijn zo geschrokken dat ze een actiecomité hebben opgericht.

Fleur, Kevin en Jordi rukken elk vrij uur uit om de stad uit te kammen. Aan elke voorbijganger laten ze een foto van Melissa zien, dagen achter elkaar, maar ze vinden geen enkel spoor van haar.

Melissa is al tweeënhalve week zoek als ze met elkaar in het Kooltuintje zijn. Fleur staart voor zich uit.

'Je denkt zeker aan Melissa,' zegt Kevin. Fleur wordt rood. Dit keer dacht ze aan Toine. Sinds die avond in de aula groeten ze elkaar weer op de gang. En vanochtend zag ze hem op het schoolplein en toen lachte hij heel lief naar haar.

Ze schrikt op van Jordi.

'Melissa!' Hij wijst naar een clip op het beeldscherm. Nu ziet Fleur het ook. Dat is Melissa die daar danst. Fleur kijkt er vol trots naar. Dat is mijn vriendin, maar waar hangt ze toch uit? Meteen wordt ze weer verdrietig. Hoe vaak heeft ze de laatste week Melissa's voicemail niet ingesproken? Maar Melissa belt nooit terug.

Ineens ziet ze Debby die vol jaloezie naar Melissa's clip kijkt. Zo keek je ook naar mij toen ik nog met Toine ging, denkt ze. Ze denkt aan al die keren dat Debby dweperig om Toine heen hing. Die avond dat de schoolband repeteerde zag ze haar ook slijmen bij hem. Maar hoe staat Toine eigenlijk tegenover Debby? Ze beseft dat ze Toine nog nooit verliefd naar Debby heeft zien kijken. Voor het eerst sinds het uit is, begint Fleur te twijfelen. Het laat haar niet los.

Terwijl ze 's nachts in bed ligt te draaien denkt ze aan Debby's woorden toen ze samen aan het winkelen waren. Klopt het eigenlijk wel? Ze ziet het wanhopige gezicht van Toine voor zich toen hij haar bij het viaduct opwachtte. Is het wel waar wat Debby zei? Wilde Toine wel haar toestemming om verkering met Debby te nemen? Stel je voor dat ze het allemaal heeft gelogen? Fleur móet het weten. Het liefst zou ze Toine nu bellen, maar het is midden in de nacht. Pas als ze heeft besloten het uit te zoeken, kan ze slapen.

12

Fleur rent over het basketbalveld heen en weer. In de verte ziet ze Toine aankomen. Jordi wenkt dat hij mee moet doen. Onder het spelen kijkt Fleur maar naar Toine en Toine houdt Fleur ook voortdurend in de gaten.

'Dat is niet eerlijk,' roept Fleur als Toine scoort. 'Toine is veel te lang.'

Fleur vangt de bal, gooit hem naar Kevin en loopt zichzelf vrij.

'En jij bent veel te snel,' lacht Toine.

Midden onder de wedstrijd krijgt Jordi een telefoontje. Hij kijkt op zijn scherm. Het schijnt behoorlijk belangrijk te zijn, want hij legt het spel stil.

Toe dan, zegt Fleur tegen zichzelf. Je zou het toch uitzoeken?

'Moet je niet naar Debby?' vraagt ze aan Toine.

'Ik?' zucht Toine. 'Ik heb helemaal niks met Debby, behalve dat ik gestoord word van dat plakkerige gedoe van haar.'

Wat zegt Toine nou?

'Dat wilde ik je nog steeds vragen,' zegt Toine. 'Waarom heb je Debby eigenlijk naar me toegestuurd toen het uit was?'

'Ik heb Debby nooit naar je toegestuurd,' zegt Fleur.

'Hè?' Toine kijkt haar stomverbaasd aan. 'En Debby zei...'

'En tegen mij zei ze...' Van opwinding beginnen ze door elkaar heen te praten. Maar ze maken hun zin niet eens af. Ineens weten ze wat er is gebeurd. Ze zeggen het alle twee tegelijk.

'Debby heeft tussen ons gestookt!'

'Fleur...' fluistert Toine. 'Er is maar een meisje waar ik van hou en dat ben jij.'

'Voor mij is er ook maar een jongen,' zegt Fleur.

Toine pakt Fleur vast en trekt haar mee naar het bankje naast het veld. Ze zijn zo gelukkig dat ze helemaal vergeten zijn dat ze aan het basketballen waren. Kevin roept hen een paar keer, maar ze horen hem niet eens.

'*I love you*,' fluistert Toine en hij kust Fleur. 'Toen je daar zo mooi zong, toen wist ik het zeker, wij horen bij elkaar.'

Fleur heeft tranen in haar ogen. 'Ik ben zo gelukkig,' fluistert ze.

'Ik ook,' zegt Toine, 'en ik laat je nooit meer gaan, *megasuperstar*.' En hij kust haar lang en innig.